J'AI VÉCU DANS MES RÊVES

MICHEL PICCOLI
avec GILLES JACOB

J'AI VÉCU DANS MES RÊVES

BERNARD GRASSET
PARIS

Photo de bande : Jean-Pierre Bonnotte / Gamma

ISBN : 978-2-246-85805-8

Mon cher Michel...

— Il y a bientôt quarante ans que vous et moi nous échangeons.

— Quoi ?

— Mais des lettres, parbleu.

Ces billets, nous les écrivions pour surprendre l'acolyte, pour attirer son attention, et c'est vrai que vous avez toujours aimé étonner.

Au théâtre, au cinéma, dans la vie, déconcerter a été et est encore l'un de vos plaisirs, comme le prouvent ces colères qui éclatent soudain avec des mots comme des grêlons quand quelqu'un vous choque et que vous ne lui envoyez pas dire. D'ailleurs, une de vos spécialités n'est-elle pas la surprise ?

Vous avez toujours refusé la routine, vous êtes toujours resté en éveil. Vous n'avez pas peur d'interpeller, vous y allez au culot !

Faire l'acteur, c'est vivre dans l'illusion, s'inventer des identités successives. Chez les producteurs de cinéma, il vous arrivait de vous présenter pour des essais dans une dégaine si inattendue – la moustache, la barbe, les cheveux, les habits, l'accoutrement, les tics –, qu'on vous engageait illico.

Au théâtre, en pleine représentation, vous n'hésitiez pas à tenter sans crier gare un jeu de scène, un silence appuyé, non pour embarrasser votre partenaire, mais pour changer un peu, vous dégourdir les jambes en même temps que l'esprit.

L'esprit, on peut dire que vous n'en manquez pas, et comme lorsque je me sens en confiance je n'ai pas non plus ma langue dans ma poche, cela donnait des joutes verbales, de désopilantes parties de main chaude, chacun de nous rendant coup pour coup pour s'amuser, en toute amitié et sans blesser l'autre au cours de ces escarmouches fraternelles.

Je ne sais plus quand cela a commencé.

Ce devait être dans les années 1970.

Oui, nous nous sommes rencontrés pour la première fois quelques mois après Mai 68. J'étais alors critique de cinéma et vous un comédien en pleine gloire. Si, si ! Ah, ne commencez pas... Je ne me rendais pas au théâtre, pas plus alors qu'aujourd'hui. Il y a une raison physique à cela : j'ai les jambes trop longues et la distance ridicule entre les rangées de fauteuils me fait souffrir horriblement ! Ou alors je dois m'asseoir de biais, au risque que l'inconnue que frôle mon genou se méprenne et me gifle.

Le cinéma, c'est autre chose. Je m'émerveillais devant un Michel Piccoli au sommet de son art, faisant les cent coups à l'intérieur de son beau métier. Dans les films de Claude Sautet : *Les Choses de la vie, Vincent, François..., Max et les Ferrailleurs*, je m'identifiais à lui quand il embrasse Romy ou quand il escorte Bardot dans *Le Mépris* (oh, la veulerie de Michel et son petit chapeau, ah, Brigitte dans sa somptueuse nudité !), avec Deneuve dans *Belle de jour,* ou devant la caméra de Ferreri, Granier-Deferre, Girod, Berlanga, tant d'autres. Cent cinquante personnages à vous tout seul ! Vous les avez joués, incarnés, interprétés, vous les avez rendus inoubliables.

Vous avez toujours été curieux des êtres et des choses, vous aimiez apprendre, et quand nous nous sommes rencontrés pour de bon, lors d'un prix cinématographique au casino de Charbonnières-les-Bains, nous avons fait connaissance à la manière des chats. Intéressés, aventureux, mais sur nos gardes : assurément vous ne recherchiez pas les bonnes grâces d'un de ces petits messieurs de la critique, et moi, ébloui par votre simplicité, je ne voulais pas vous importuner.

Donc, je ne sais plus qui a commencé, mais un peu plus tard nous nous sommes mis à nous écrire, à nous répondre, à blaguer, à rire, à faire signe à l'autre avec des riens, une phrase, un dessin, une anecdote, une enveloppe, de ces enveloppes dont l'adresse en vers attire l'attention du facteur aussi bien que du destinataire. Parfois les lettres arrivaient en retard, parfois elles se croisaient, parfois on oubliait de les ouvrir (pas moi !). La correspondance a ceci de formidable qu'elle permet une intimité tout en conservant une distance. On se confie des choses qu'on ne se dirait jamais en public, ni en tête à tête, quand on entame une relation amicale.

Peu à peu, j'ai aimé vos enthousiasmes, votre attention aux autres, votre générosité, votre élégance morale, jusqu'à vos emportements, et bien sûr votre immense talent. (Ah, ne recommencez pas !) Nous sommes devenus amis sans que cette amitié, revigorée par des interruptions, de grandes plages de silence, vienne jamais interférer dans nos métiers respectifs.

Quand j'ai été nommé à la tête du festival de Cannes, je vous ai souvent invité, Michel, avec un film ou avec un autre, jamais pour vous faire plaisir, mais parce qu'ils étaient bons, ces films, hilarants, insolites, étranges, provocants, inénarrables, je vais même risquer un adjectif qui ne va sûrement pas vous déplaire : buñueliens.

Du reste, Don Luis et vous étiez faits pour vous entendre : même horreur de l'esbroufe, même goût pour le travail, la plaisanterie, le bon vin, les femmes, le silence.

Une fois, c'était pour l'hommage à Youssef Chahine, j'avais à peine fini d'officier que vous avez sauté sur la table et, le poing levé, vous avez crié : « Vive Chahine, vive Jo[1] ! »

1. C'est ainsi que ses proches appelaient Youssef Chahine.

Et tout le monde a repris : Vive Jo !
Quelle émotion ce soir-là, quand j'y pense.

Une autre fois, en 1999, je crois, c'était à vous que je faisais fête, et vous avez dit : « L'*hommagé*, à la rigueur, mais l'*homme âgé*, non. » Je me rappelle encore avoir fait votre portrait : au physique, une prestance de grand ténébreux, une stature robuste, un front immense sorti tout droit de Victor Hugo. Sans oublier des yeux de velours noir, l'air conquérant, léger, insolent, et une voix qui ensorcelle.

Votre père était violoniste, votre mère pianiste, vous, vous êtes soliste : vous jouez de la voix humaine, cette voix à la fois douce et caressante, inquiétante et forte, dont on reconnaît immédiatement la plus légère intonation…

Cette voix, je l'ai retrouvée dans nos lettres.

Il y a, chez les très grands comédiens, un petit grain de folie que révèlent le regard démoniaque, certains gestes, l'audace d'une attitude : Michel Simon et Charles Laughton l'avaient, et Serrault, et Le Vigan, et Jules Berry, et Saturnin Fabre, comme aujourd'hui Depardieu, et vous l'avez. Il suffit de revoir *la Grande Bouffe,*

Themroc ou *Le trio infernal*, pour ne citer que les titres qui me traversent l'esprit.

Cette extravagance, je la retrouve parfois dans nos lettres, dans cet amour commun du verbe et de la digression qui peut nous emmener loin, si forte est notre connivence.

Nos missives, tantôt blagueuses, tantôt sérieuses, parfois irrespectueuses, toujours affectueuses, sont là, devant moi. Je les relis, je les touche, je les hume, j'en cherche la transparence, je regarde votre belle écriture légèrement inclinée, contrairement à vous qui êtes si droit, au physique comme au moral.

Pour une fois, faisons partager à ceux qui vous aiment un peu de cette complicité.

Bien sûr, notre pudeur naturelle nous empêchait de nous livrer totalement. Et il y a des trous dans ce ping-pong, des lettres perdues, des moments où nous étions trop occupés pour nous faire signe.

Alors, allons plus loin, plus profond, plus vrai.

J'ai commencé ma vie éditoriale en recueillant et en publiant la *Correspondance* de François Truffaut. Pas si mal. Il me plairait de tenter la même chose avec vous en un intime retour aux sources : renouer le fil de la vie en passant par l'échange épistolaire, n'est-ce pas vous convier à une rencontre au sommet organisée par le destin ?

Y êtes-vous prêt, Michel ? Oui ? Sérieux ?

Mais attention, hein, pas de déguisement, pas de faux papiers.

Faites voir un peu votre photo d'identité… Pas de doute, c'est bien vous.

Bon, alors, on y va.

I.

L'enfance

Cher Michel,

Je sais que vous êtes un homme qui parlez fort peu et n'aimez pas vous confier. Je sais aussi que, tout comme moi, la mémoire, parfois, vous joue des tours. Mais comme c'est un jeu entre nous de s'écrire depuis bientôt quarante ans, et de s'écrire tout ce qui nous passe par la tête, y compris des feintes, des rosseries, des blagues comme pouvait en faire Alfred Jarry ou, toutes proportions gardées, Flaubert, dans sa correspondance avec Maxime du Camp, pourquoi ne pas continuer en remontant le temps. Il me plairait d'en savoir davantage sur votre famille et vos parents, sur votre enfance et, surtout, sur votre désir de devenir acteur. Comment cela vous est-il venu ? Comment raconteriez-vous l'origine de cette vocation ? Vos parents vous ont-ils aidé ou vous a-t-il fallu batailler ? Bref, aujourd'hui pas d'échappatoire, de pas de côté ni de rideau de fumée…

Cher Gilles,

Je suis né par hasard. Par hasard et par compensation.

Je vous explique : Mes parents, avant moi, avaient eu un enfant, un garçon, mais qui n'a pas survécu. Ce frère aîné disparu avait été une passion pour ma mère et à la suite de cette perte, elle s'était dit qu'elle n'aurait plus jamais le courage d'avoir une famille, autrement dit d'avoir un autre enfant. Ma mère m'a tout de même fabriqué.

Sans doute suis-je très chanceux d'être né, quoique à bien considérer ces circonstances qui président à ma naissance, je peux aussi me dire que j'étais mal parti. Ce n'est pas confortable d'avoir à se penser comme un enfant de substitution. C'est pourtant un fait que j'ai toujours en tête : je n'aurais pas été conçu et je n'aurais jamais vécu si mon frère n'était pas mort. Je suis son remplaçant.

Pendant toute mon enfance, resté fils unique, il y avait donc ce fantôme avec moi et j'ai quelquefois l'impression que ma mère, qui parlait peu, ne se manifestait que pour évoquer ce frère mort. J'entends encore sa voix : *Ton petit frère, ton petit frère, ton petit frère.* Bien qu'il soit né avant ma naissance, je dois dire que je n'ai jamais cessé de penser à lui comme à un *petit frère* dont je serais en quelque sorte devenu l'aîné et qui m'aurait laissé seul. Aujourd'hui encore, j'y pense de cette manière. Je continue à me poser les mêmes questions. Pourquoi n'a-t-il pas survécu ? Quelle est cette maladie inconnue dont il est mort ? Que signifie ma venue au monde à la place de ce *petit frère* ? C'est une origine qui vous marque de manière indélébile. Elle détermine la relation que j'ai nourrie avec mes parents, qui s'est développée sur un mode assez angoissant, en particulier avec ma mère. *Ton petit frère, ton petit frère, ton petit frère, ton petit frère…* J'ai souvent eu envie de crier Assez !

Au-delà de l'anecdote de cette naissance hasardeuse, je ne sais pas grand-chose de certain. D'une manière générale, l'histoire de ma famille me semble lointaine et évanouie. Il ne m'en reste que des bribes.

Je sais que mon grand-père maternel avait été un homme d'affaires fort riche, qu'il avait possédé une usine de peinture à côté de la place d'Italie et qu'il avait fait de la politique. Je ne l'ai aperçu qu'une fois. J'étais tout petit et je n'ai qu'une vague image de lui, mangeant comme cinq, assis à une table de restaurant. Puis il disparaît tout de suite de ma mémoire. Effacé. Mort. Ce grand-père aurait, si j'en crois la mémoire familiale, tout perdu dans la crise qui a précédé la Première Guerre mondiale. Toute sa vie, ma mère a ressassé cette ruine. Ce déclassement a provoqué en elle une forme d'amertume.

Il ne faut pas confondre une famille pauvre avec une famille qui n'a plus d'argent, ce n'est pas la même chose. La vie n'y est pas vécue de la même manière. Ma mère gardait le souvenir de l'argent de son père et du prestige qui l'accompagnait. Elle se pensait comme destituée, d'autant plus qu'une branche de la famille était restée argentée. Plusieurs fois, ces parents fortunés m'ont envoyé des colis de vêtements. Souvenir de honte.

Du côté de mon père, on ne m'a jamais rien dit de sa famille, d'origine italienne comme mon nom l'indique. Je ne sais pas grand-chose de son propre passé et n'ai aucune idée des circonstances de sa rencontre avec ma mère. Je ne crois pas que mes parents me les aient jamais racontées, ou que j'aie jamais cherché à les connaître.

Qui étaient-ils, mes parents ? Comment les ai-je vus et côtoyés pendant mon enfance ? Ont-ils influencé mes choix et ma vie ? Le fait qu'ils aient été tous les deux des artistes a-t-il été déterminant ? Je me le demande encore.

Mon père était violoniste et ma mère pianiste. Lui était membre de l'orchestre Colonne, un troisième violon dans cette formation où il a joué pendant cinquante ans. Il travaillait tout le temps. Quand les vacances arrivaient, ce n'était pas pour se reposer. Nous allions à Dieppe, où mes parents louaient tous les étés la même maison, car mon père jouait dans l'orchestre du casino, devant un public qui n'écoutait guère. Mon souvenir de ces vacances n'est pas très bucolique. C'est celui de ma mère agacée, se plaignant que, pour aller aux toilettes, il lui faille aller dans une cabane au fond du jardin...

Cette mère si facilement mécontente était donc, elle aussi, musicienne. Elle avait fait des études de piano très sérieuses, très sévères, et elle jouait très bien. Je la revois assise devant son instrument, dans le salon – lequel était d'ailleurs en même temps ma chambre, puisque c'est là que je dormais, sur le divan. Mais ces souvenirs sont rares : elle jouait fort peu pour elle-même, pour le simple plaisir de jouer. Elle aurait souhaité être soliste, une virtuose, mais elle n'y est pas parvenue. Elle est devenue professeure de musique. Son piano lui aura finalement donné une activité qu'elle a exercée sans passion ni enthousiasme. Pour elle, la musique n'était plus un art. Pendant mon enfance, j'avais le sentiment que, pour gagner son argent, ma mère devait faire répéter à ses élèves le même exercice tous les jours. Un métronome qui ne s'interrompt jamais.

À propos du piano, me vient un souvenir qui pèse dans la mémoire de mon enfance. Ma mère, qui avait voulu m'apprendre à en jouer, n'arrivait à rien avec moi. Je ne voulais pas apprendre. Les mains sur le clavier, toutes les sensations m'étaient pénibles. Le plaisir n'était jamais là et je ne progressais décidément pas. Quand elle m'a demandé pourquoi je rechignais tant à travailler mon piano, je lui ai dit que mes yeux souffraient, que je voyais mal. Elle m'a tout de suite emmené chez le médecin qui, après m'avoir ausculté, a conclu que je n'avais aucun problème de vue. Je n'avais fait que chercher une excuse pour éviter d'avoir à m'entraîner. Ma mère a cédé devant mon caprice d'enfant. Elle a décidé que je n'apprendrais finalement pas le piano. Et aujourd'hui, je regrette qu'elle n'ait pas insisté. Je trouve mon comportement de l'époque lamentable, envers ma mère et envers moi.

Le piano abandonné, je ne suis pas passé au violon. Je ne crois pas que mon père ait voulu me l'apprendre. Tant mieux. Cela m'aurait rendu fou d'essayer de manier correctement un instrument si difficile.

Je n'ai aucun souvenir de mon père et de ma mère faisant ensemble de la musique pour le plaisir. Mes parents n'étaient pas très amoureux de leur activité. Mon père travaillait beaucoup son violon, mais comme un métier qui le fatiguait. C'était une sorte de fonctionnaire de la musique, très organisé, très discipliné. Une image tendre me livre sa silhouette ondulante pendant qu'il répétait ses gammes. Mais aucune passion ne s'exprimait là. Je suis le résultat de parents artistes qui n'ont pas su m'initier à l'art. À l'époque, ce constat pouvait me faire de la peine. Quand j'y repense, je suis encore très troublé. Comment peut-on vivre en exerçant une discipline artistique comme la musique sans joie ni passion ?

Le souvenir un peu terne de mes parents contraste avec celui, lumineux, de mon oncle, le frère de mon père, lui aussi violoniste, et de sa femme, elle aussi pianiste. Ils formaient un couple qui m'intriguait et m'intéressait davantage que celui dont j'étais issu. Ils représentaient l'envers positif de mes parents. S'il faut chercher mon influence, mon modèle, c'est sans doute de ce côté.

Mon oncle et ma tante habitaient à Sceaux. J'adorais leur rendre visite. J'échappais un moment à un environnement pesant. Mes parents et moi habitions derrière la mairie de la place d'Italie, dans un appartement d'une petite rue où se trouvaient un commissariat de police, un magasin de pompes funèbres et un hôtel de passe. C'était un modeste trois pièces. Il y avait la chambre de mes parents, une pièce minuscule, et le salon où l'on mangeait et où je dormais. Mon lit était dans le salon, je n'avais pas de chambre. Je ne crois pas que j'en ai été malheureux, mais mon enfance s'est déroulée sans que j'aie jamais eu la moindre intimité, dans la sensation difficile de ne pouvoir avoir une vie à moi. J'étais une sorte de locataire chez mes parents, sans aucun endroit qui me soit réservé et où j'aurais pu me réfugier. Je me souviens d'être juste là, sur le divan, mon lit, pendant que ma mère donnait sa série de leçons à ses élèves. Je l'observais en silence.

J'aimais l'ambiance qui émanait de mon oncle, que je trouvais radieux. Mon père pensait me faire rire en racontant des histoires pas drôles du tout. Son frère, lui, était un vrai conteur. Il connaissait mille histoires pittoresques et merveilleuses. En sa présence, un monde s'ouvrait. Il voyageait, allait apprendre la musique aux *sauvages* dans *les pays du Sud* – comme on disait à l'époque –, je le voyais comme un violoniste errant. Je l'aimais. Et tout autant sa femme, ma tante. Ce sont des personnes qui m'ont gâté.

Ils m'offraient du *temps de vie* et des moments privilégiés. Il y avait de la gaieté, de la fantaisie autour d'eux. Ils auraient été très heureux de m'avoir comme enfant. J'avais avec eux une intimité que je n'avais pas avec mes parents. C'étaient eux, mon oncle et ma tante, mes exemples, et non pas mes parents. Ils étaient étranges ces deux couples, apparemment semblables – un violoniste et une pianiste – mais si différents...

Je ne sais pas si mon oncle a toujours été très fidèle. Je me souviens que ma mère, de temps en temps, disait à mon père – qui, comme à son habitude, ne répondait pas – que son frère exagérait tout de même beaucoup, qu'il n'était pas très sérieux. L'insinuation était claire. Est-ce qu'il trompait ma tante ? Je n'ai jamais perçu de tension entre eux deux. Ils s'adoraient, sans aucun doute. Contrairement à mon père et ma mère, qui ne s'amusaient guère, mon oncle et ma tante étaient à la fois passionnés l'un par l'autre et par leur musique.

Mes parents ne formaient pas une alliance très heureuse. Il n'y avait rien de violent entre eux. Ce n'était pas un grand malheur. Ils s'aimaient bien, mais ils s'ennuyaient. Leur histoire ne donnait pas l'impression d'être animée par une nécessité profonde. C'était un homme et une femme qui s'étaient habitués l'un à l'autre. Un jour, ma mère m'a dit une chose qui m'a fait du mal : « Tu dois savoir que si ton père et moi n'avons pas divorcé, c'est à cause de toi. »

Mon père était un homme silencieux. À côté de son violon, il y avait sa femme, et ce fils qui était mort. Après, il en a fait un autre, moi, en remplacement, mais il demeurait effacé, comme dissous dans le tableau. Ma naissance a sans doute calmé les choses, je veux dire qu'elle a calmé la tension extrême et la tristesse qu'engendre un deuil comme celui que des parents peuvent vivre. Cela dit, je n'ai pas été l'objet d'une tendresse particulière de la part de mon père, ce qui m'a toujours chagriné. Chagriné et étonné. Je le regrettais. Il y avait une distance qui s'est toujours maintenue entre nous et j'en ai certainement souffert. Je ne me souviens pas de mon père m'aidant à faire mes devoirs d'école. Quoique, disant cela, j'ai aussitôt envie de me corriger, pour ne pas laisser croire que je veuille mettre toute ma paresse de mauvais élève sur le compte de l'attitude distante de mon père, ce qui serait pour le moins injuste.

Une fois, à la toute fin de sa vie, lors d'un épisode qui m'a bouleversé, nous nous sommes parlé. Je me souviendrai toujours de ce moment. Il était bien plus jeune que je ne le suis aujourd'hui, mais il commençait à vieillir. Il a tendu sa main pour que je la lui baise. Il était allongé dans son lit et il m'a dit, sachant que je venais d'avoir plusieurs fois de suite du succès dans différentes pièces de théâtre : « Maintenant que tu vas gagner de l'argent, tu vas être heureux. » J'ai baisé sa main tendue. Ce fut le seul moment de proximité que mon père et moi ayons partagé. Ce jour-là, où j'ai compris que mon père était tombé très malade et que sa fin était proche, j'ai pu vérifier une fois de plus qu'il n'avait pas été heureux, que son violon et ma mère n'avaient pas suffi. Puis il est mort. Il est mort doucement, *sans grossièreté*, pour employer un mot qui n'est peut-être pas approprié mais qui me plaît bien ici. *Sans grossièreté*, c'est-à-dire qu'il n'a pas eu le temps de souffrir ni de se plaindre.

J'y pense à l'instant : je ne sais pas de quoi il est mort. Serait-il mort d'ennui ?

Je dois par honnêteté ajouter que je ne crois pas avoir été bouleversé par sa mort, comme d'ailleurs par celle de ma mère, survenue plus tard, ni par la mort d'aucune personne de ma famille. Chaque fois j'étais triste, mais pas anéanti. Je suis resté passif, distant, ce qui est assez sinistre.

Ma mère a survécu assez longtemps à mon père et sa vie en a été changée. Je crois que la mort de son mari a calmé le souvenir de celle de son fils. La vie a aussi changé pour moi, qui habitais encore avec elle. J'avais déjà commencé à jouer au théâtre et je gagnais un peu d'argent, pourtant je suis resté un certain temps avec ma mère. Je me souviens par exemple de jeunes amoureuses qui cherchaient à lui parler de moi, lui demandant pourquoi je les quittais. Elles voulaient que ma mère, qui ne savait bien sûr pas quoi répondre, leur donne la clé de mon comportement.

Mais revenons en arrière. J'ai déjà laissé entendre que je n'ai pas été un bon élève. C'est le moins que l'on puisse dire. Je suis allé jusqu'au bachot, que j'ai raté. Je ne crois pas que j'étais foncièrement un incapable, mais à cette époque, j'étais très paresseux. Les professeurs ne m'intéressaient pas, ils étaient attristants, pétris de sérieux. L'école en elle-même me laissait indifférent.

J'ai été solitaire pendant mon enfance. Solitaire et désœuvré. Je m'ennuyais. L'existence passait et rien n'arrivait. J'avais quand même un grand ami, le fils d'un couple de médecins qui habitaient boulevard Raspail. Riches, comme on dit. Ce fut un de mes points énergétiques, passionnels, heureux. Il est mort il n'y a pas très longtemps.

Tout cela remonte si loin... Que l'on se représente le temps qui passe : nous étions ensemble dans la même école il y a soixante-quinze ans, à l'époque de l'invasion des Allemands, à l'époque où tous les élèves commençaient à se poser la question fatale : « Qui aimes-tu : Pétain ou de Gaulle ? » C'était ce moment de l'Histoire où chacun d'entre nous choisissait son héros préféré.

Heureusement, mes parents étaient pour de Gaulle. Et je me souviens que j'en étais très content. Dans ma mémoire, survit cette scène : ma mère, dans le salon, parlant avec l'un de ses frères qui lui rend visite, celui qui se trouvait être un général. À un moment, j'entends ma mère lui dire : « Ah ! quand même, si tu avais été le général de Gaulle, je t'aurais félicité ! » La phrase m'a plu.

Il n'y a pas eu de réponse de son général de frère.

La guerre... On m'en parlait, on me la racontait. Surtout ma mère, qui discutait beaucoup de politique, expliquait ce qu'il se passait entre Pétain et les nazis. Je me souviens de la voix d'Hitler vociférant à la radio. Je m'étais plongé dans l'étude des cartes, je réfléchissais aux meilleures stratégies pour mener la France à la victoire. Qu'allait-il se passer du côté de la Russie ? Comment les Anglais résisteraient-ils ? Le nez dans les cartes, je rêvassais. Ma mère me disait de faire attention et de ranger mes documents, comme si j'étais un partisan en danger alors qu'en petit homme, je ne faisais que jouer à la Résistance. En revanche, un de mes amis de classe fut actif au point d'être emprisonné et déporté. Pour ma part, je n'ai pas tellement vu d'Allemands. J'ai vite quitté Paris. L'essentiel de mes souvenirs de guerre est ailleurs, en Corrèze. Ce sont des souvenirs joyeux.

C'est à cette période que j'ai commencé à savoir que le théâtre était le métier que je voudrais faire. Il faut que j'explique comment est venu ce désir de devenir acteur.

Je suis parti en Corrèze en 1940. Il n'y avait pas encore de ligne de démarcation et de zone libre, il n'y avait encore que la guerre, seulement la guerre. Ma mère et moi venions de nous installer à Orléans. Mon père était resté à Paris. Ma mère avait très peur pour moi et elle a décidé de m'envoyer chez des parents, dans la campagne profonde. Un jour, elle m'a subitement dit : « Écoute Michel, c'est trop dangereux, il faut que tu partes chez ton oncle et ta tante. » J'avais quinze ans. Elle m'a donné un peu d'argent et m'a acheté une bicyclette toute neuve pour pouvoir bien rouler. Pendant trois jours, j'ai pédalé d'Orléans jusqu'à Tulle. J'étais seul. Je me débrouillais, je couchais où je pouvais.

Cela m'étonne que mes parents m'aient laissé dans ces circonstances livré à moi-même. Mais je suis arrivé à bon terme et j'ai vécu là, en

Corrèze, pendant un an et demi, dans un tout petit village. J'ai aimé cette nouvelle vie, au milieu de tous ces animaux que je découvrais et qui m'intriguaient. On m'apprenait à m'en occuper. Je me rappelle même avoir tiré d'affaire une vache en mauvaise posture. Un jour que j'allais la visiter, comme à mon habitude, j'ai vu une jambe qui lui sortait du ventre et j'ai réussi à accoucher la bête seul. Je me suis précipité pour raconter mon exploit à qui voulait l'entendre. Un veau venait de naître, j'avais su comment le mettre au monde.

Pendant un an et demi, j'ai été très heureux dans cette maison de campagne avec des personnes que je trouvais charmantes. C'est un peu douloureux de le reconnaître mais c'est pourtant la vérité : J'étais fou de joie de vivre avec ces parents que je trouvais *mieux que mes propres parents*. À cette époque de ma vie, je ressentais un bonheur de vivre permanent. Même si le pays était en guerre, nous étions préservés, les événements n'arrivaient pas jusqu'à chez nous. Nous vivions comme en autarcie. Nous étions chaque jour entre dix et quinze personnes à table, tous comme moi venus là pour se réfugier. Je me souviens notamment d'un couple de Polonais. Peut-être étaient-ce des Juifs qui se cachaient, je ne sais plus. Mais je me rappelle qu'ils étaient très savants et qu'ils m'aidaient pour avancer dans mes devoirs.

C'est là que j'ai commencé à jouer la comédie. Mon oncle, le fameux, le violoniste, était là aussi. Il avait écrit une pièce, et comme une sorte de chef de troupe, il avait trouvé le moyen de la représenter. La pièce a été jouée par toute la famille et par les personnes qui vivaient autour de nous. C'est la première fois que j'ai été sur scène. J'étais fou de joie. J'étais heureux. J'étais fait pour ce métier, même si je ne m'en rendais pas vraiment compte. Il me faudrait encore attendre pour en prendre pleinement conscience.

Ma vocation n'est pas venue de la fréquentation des théâtres, où je ne suis pas allé dans mon enfance. Personne ne m'a emmené à la Comédie-Française ou à l'Odéon. Je ne me souviens pas même d'une sortie avec ma classe pour voir une pièce. Le déclic décisif, ce fut ce professeur merveilleux, qui m'attendait quand je suis revenu à Paris, à la fin de la guerre. Il était remplaçant et n'avait rien des professeurs que j'avais connus. Il était habillé comme une espèce d'artiste, ou de marchand des quatre saisons, toujours avec un sac à provisions à portée de main. J'ai été passionné par cet homme qui n'avait pas du tout l'air sérieux auquel nos enseignants nous avaient habitués. Sa parole était captivante. Il était à mes yeux une sorte de personnage imaginaire, un être venu faire le professeur pour gagner un peu de sous alors que ce n'était pas son vrai métier. Il racontait des histoires passionnantes. Je le trouvais extraordinaire. Ses cours étaient sublimes.

Ce fut une révélation, et en même temps un ratage complet. Ce conteur hors pair ne devait pas être un bon enseignant parce que mes notes au baccalauréat ont été très mauvaises. Mais ce n'était pas grave, l'important fut ce qui se déclencha en moi : une passion insoupçonnable. Après ma première expérience en Corrèze, ce bizarre et merveilleux professeur, tellement drôle, tellement peu autoritaire, tellement peu ordinaire m'a véritablement donné l'envie de devenir acteur. Le théâtre, c'est donc un peu *sa faute*, parce qu'il m'a révélé le plaisir des histoires extraordinaires, des histoires qui font rêver. C'est à ce moment-là que je me rappelle avoir dit à ma mère : « Je veux faire du théâtre. »

Il faut préciser : ce serait exagéré d'évoquer une *vocation* à proprement parler. Le théâtre, ce fut d'abord le désir de fuir pour aller respirer ailleurs.

Par chance, je n'ai pas eu à faire mon service militaire. Quand j'ai passé les entretiens rituels, on m'a demandé quel était mon projet dans la vie. Je ne sais plus ce que j'ai répondu, mais je me souviens que j'ai été dispensé de service. Nous étions juste après la guerre, à un moment où l'État décidait que ses jeunes avaient déjà perdu beaucoup de leur enfance et de leur jeunesse.

Quand j'ai raté mon bachot, mon père n'a fait aucun commentaire. Il s'est tu, comme à son habitude. Ma mère, elle, a parlé. Comme je lui expliquais que je voulais devenir acteur, plutôt que de me répondre avec effroi : « Mais qu'est-ce que c'est que ce métier, tu ne vas quand même pas faire une horreur pareille », elle m'a dit, contre toute attente, que je pouvais suivre un cours de théâtre et que l'on verrait bien comment cela se passerait pour moi. « Si tu veux faire du théâtre, trouve-toi un professeur et l'on verra bien ce qu'il te dira. » Elle me mettait au défi. Sa réponse compréhensive était une façon de me faire comprendre qu'à partir de maintenant, je devais me prendre en charge. Je pense qu'elle ne croyait pas à mon désir de théâtre. Heureusement, tout allait très bien se passer dans ma nouvelle vie, avec ma nouvelle passion. Je comprendrai vite ce qu'il fallait faire pour plaire. Le théâtre allait devenir mon *chez-moi*.

Voilà, cher Gilles, une réponse à vos questions. J'espère qu'elle vous convient. Je ne peux pas faire plus. Je suis un vieil homme à la mémoire trouée. J'espère aussi que nous n'apparaîtrons pas seulement *en crânerie* à vouloir figurer dans un livre. Il est si compliqué de parler de soi.

II.

Un apprentissage

Cher Michel,

Pour l'instant, votre mémoire ne me paraît pas si trouée...

C'est drôle, car moi aussi, c'est un professeur, frileux, mais titulaire celui-ci, qui m'a donné la vocation. Il entrait en classe, gardait son manteau – il ne faisait pas chaud à Louis-le-Grand pendant l'hiver 1945 – sortait de sa serviette un livre et commençait : Vers cinq heures le temps fraîchit ; je fermai mes fenêtres et je me remis à écrire. À six heures entra mon grand ami Hubert ; il revenait du manège. Il dit : « Tiens ! tu travailles ? » Je répondis : « J'écris *Paludes.* » *J'écoutais, j'étais transporté. Je me ruai chez Gibert Jeune, boulevard Saint-Michel, pour acheter* Paludes, *et puis d'autres livres de Gide. C'était parti... L'amour des livres, de la littérature... Mais nous ne sommes pas là pour parler de moi. Ce que je veux comprendre maintenant, c'est comment vous avez appris votre métier et quelle était, à la fin des années 1940 et au début des années 1950, la vie d'un jeune homme qui se destine à faire une carrière d'acteur. Avez-vous par exemple pensé à rentrer à la Comédie- Française ? Rêviez-vous déjà de faire du cinéma ? Et puis, comment avez-vous quitté vos parents ? Quelles rencontres furent déterminantes ?*

Cher Gilles,

Ma mère m'ayant autorisé à fréquenter un cours de théâtre, je me suis inscrit à celui d'Andrée Bauer-Thérond, qui avait été actrice avant de devenir professeure. Dieu sait comment j'ai dégoté ce cours, logé à Pigalle, où je me rendais depuis mon XIIIe arrondissement. C'était pour moi une aventure que de traverser Paris pour rejoindre la classe. Un tout petit appartement au 6e étage d'un immeuble, sans ascenseur bien sûr, faisait office de locaux. C'était le genre d'école de théâtre où, quand les élèves n'étaient pas très riches, ils payaient ce qu'ils pouvaient.

Avec moi, vingt ou trente autres élèves étaient inscrits. Parmi mes camarades, peu sont devenus des artistes professionnels. Mais je me souviens de Luis Mariano. Il avait été luxueusement applaudi par la France pendant l'Occupation. Il s'était inscrit à ce cours de Pigalle pour bien apprendre le français et maîtriser son accent. J'ai souvent travaillé avec lui des scènes que nous présentions. Au bout d'un an, il m'a dit *qué lé succès, il va révénir*. En effet, le succès est revenu.

En 1945, les cours de théâtre n'avaient rien à voir avec ce qu'ils sont devenus. Désormais, tout le monde défend cette idée que le théâtre est un très beau métier et que rien n'est plus prestigieux que de faire l'acteur. Avec ce discours, le trajet est devenu de plus en plus encombré et difficile. Aujourd'hui, les soi-disant *professeurs libres* de théâtre pullulent et l'on trouve des écoles qui regroupent plusieurs centaines d'élèves. C'est un marché épouvantable et scandaleux ! À l'époque, on vous disait tout le contraire : « Le théâtre n'est pas un vrai métier. » Et quand j'ai commencé, il n'était pas considéré comme une activité sérieuse, dont on se gargarisait.

Andrée Bauer-Thérond, elle, était sérieuse et menait sévèrement son cours. Elle était *sévère* dans le bon sens du terme. J'ai beaucoup appris avec ce professeur. Elle avait quelques obsessions très utiles : elle voulait que nous connaissions bien les classiques, mais aussi quelques modernes, comme Giraudoux ou Anouilh. Il fallait surtout apprendre à respirer et être capable de jouer tout le texte par cœur. J'ai appris, comme on apprend un artisanat, les bases indispensables de la technique avec pour souci primordial l'articulation. Cet enseignement me suffisait, c'était parfait, même si on exigeait peut-être de nous un trop grand émerveillement devant les textes, et que jouer selon le goût d'Andrée Bauer-Thérond pouvait produire une espèce de cabotinage, cabotinage grandiose peut-être, mais dont j'ai vite compris qu'il était à fuir.

Je crois avoir pris conscience assez tôt de certaines dérives possibles. Andrée Bauer-Thérond était elle-même très théâtrale dans la vie et, à dix-huit ans, le risque du cabotinage m'est tout de suite apparu. À cet âge, un apprenti comédien ne connaît ni la vie ni le théâtre, mais il y a des intuitions que l'on peut vite avoir. On peut sentir ce qui est juste dans le rythme de la parole et du jeu, dans le rythme des mots et des phrases, des émotions de l'interprète.

J'ai très vite été sensible, au théâtre surtout, mais même au cinéma plus tard, au fait que l'acteur puisse jouer subtilement du pouvoir de sa voix. C'est un instrument qu'il faut apprendre à moduler, il faut savoir parler trop fort, parler trop vite, parler doucement, parler violemment, parler de toutes les manières possibles sans chercher à n'être que grossièrement *théâtral*. Quand je découvrirai le cinéma, je trouverai beau que les moyens techniques permettent de saisir chaque nuance de la voix. Pour être précis, je ne travaillais pas *ma* voix. Je travaillais *les* voix des personnages que je jouais. C'est différent. Je les travaillais et, en même temps, je les *réfléchissais*.

À cette époque, je n'ai pas fait de petits boulots alimentaires. Il n'y avait que le théâtre. J'ai toujours vécu dans mes rêves. De toute façon, on n'avait pas besoin de tellement d'argent. Il n'y avait pas grand-chose à acheter. J'avais le nécessaire grâce à mes parents. Très longtemps encore, j'ai habité dans leur appartement, dormant toujours dans le salon-salle à manger. Ils m'ont aidé en me nourrissant.

Quand est venu le temps de m'envoler, je n'avais pas les moyens d'aller à l'hôtel, alors j'ai vécu ici et là, chez un copain, chez les femmes dont je traversais la vie. L'apprentissage des femmes coïncidait avec celui de l'émancipation et de la liberté. Je suis passé par quelques chambres de bonne. Je me souviens, je montais à pied jusqu'au dernier étage. C'est une période de ma vie que j'ai aimée. Je ne pensais qu'au travail, au théâtre, à mon désir de faire ce métier. Je restais solitaire, et j'ai aimé cette solitude, le fait de vivre en ne s'occupant que de soi et de sa liberté.

Si je ne me souviens pas de la première fois où j'ai joué en public, je me rappelle en revanche qu'en même temps que je suivais mes cours de théâtre j'ai vite fait mes premières armes sur scène, devant des vrais spectateurs qui payaient leur place. Je jouais dans des spectacles où des élèves comme je l'étais encore étaient engagés en même temps que des acteurs professionnels. J'ai de très bons souvenirs de cette époque d'apprentissage.

Me revient une anecdote cocasse qui date de ces tout débuts, peut-être même de mon premier spectacle. Il y avait à Pigalle un bistrot, où notre bande n'allait pas très souvent – parce que nous n'avions pas beaucoup d'argent, en tout cas moi –, mais où nous passions quand même de temps en temps, les soirs de représentation. Avant d'aller enfiler nos costumes, il nous arrivait d'aller y boire un verre pour nous donner des forces. Dans ce bistrot, nous croisions les prostituées du quartier, qui étaient des clientes régulières. Elles étaient gentilles, n'oubliant jamais de nous dire bonjour, parlant avec nous. Lorsqu'on sortait du théâtre après avoir joué et que nous les retrouvions, elles nous demandaient comment s'était passé le spectacle, comment nous allions. On parlait de tout et de rien. Nous étions devenus des amis. Elles ne cherchaient pas à nous emmener avec elles. Elles savaient qu'on était des *travailleurs*, tout comme elles. C'est d'ailleurs ce qu'elles nous disaient : « Vous aussi vous êtes des travailleurs du soir, comme nous. »

Un jour, nous apprenons que le spectacle pour lequel nous avions été engagés devait s'arrêter. La directrice du théâtre nous avait expliqué qu'il n'y avait plus d'argent pour continuer. Je me souviens que pour nous remercier d'avoir longtemps travaillé pour elle à l'œil, elle nous avait offert un coup à boire sur le pouce. Ce n'était vraiment pas grand-chose. Et nos copines les prostituées, ayant appris que le spectacle était interrompu, nous ont royalement invités à dîner. Elles nous avaient préparé une bouffe formidable. On a bu et on a mangé. L'ambiance était très gaie. Il n'y avait là rien de sexuel. C'était une affaire de copains qui font plaisir aux copains.

Après le départ de la plupart de mes amis du théâtre, j'ai demandé à l'une des prostituées si je pouvais aller chez elle, mais pas en tant que client, pour observer. Elle a compris que j'étais un garçon curieux, elle m'a dit que je pouvais venir. Chez elle, elle m'a montré un petit coin où je pouvais me tenir caché. Je suis resté toute la soirée à la regarder travailler. Je voyais le rythme de la vie, de l'argent, du plaisir. C'était très intéressant. Je ne comprenais pas tout. J'ignorais toutes ces choses secrètes de l'existence, mais je n'étais pas gêné. J'étais comme chez moi. C'était encore du théâtre, avec des entrées, des sorties, des clients... J'étais un spectateur attentif. Je suis resté un bon moment, puis, quand j'ai vu qu'il n'y aurait plus personne, j'ai remercié la fille et lui ai dit au revoir. Elle m'a embrassé et m'a dit à bientôt. Mais je ne l'ai jamais revue.

Très vite, très tôt, tout en continuant à prendre des cours, il a fallu que je trouve du travail dans des théâtres. Je voulais jouer. C'était mon obsession. Je passais au-dessus de ma timidité et, excité par le sentiment que des milliers de possibilités pouvaient s'ouvrir à moi, j'allais frapper à toutes les portes pour demander un rôle. Derrière ces portes, toutes sortes de personnes travaillaient dans des bureaux, grands ou petits, et m'écoutaient en souriant. « Vous êtes qui mon enfant ? — Piccoli. — Qu'est-ce que vous faites ? — Acteur. — Ah bon, venez. » Ils me questionnaient : « Quel âge avez-vous ? Qu'est-ce que vous avez déjà fait ? » À l'époque, je ne cherchais pas du tout un agent. Je n'en étais pas là. C'était le début. Ce qu'on se disait entre camarades de théâtre fournissait l'essentiel des informations dont nous avions besoin. On s'échangeait des tuyaux, on s'entraidait. C'est une manière de faire qui existe sans doute encore, mais peut-être moins généreusement. Le métier est devenu une concurrence folle des multiples ambitions. Dans ces années, il n'y avait à mes yeux que la concurrence de l'amitié et de la passion.

Avec mes camarades, nous allions voir tout le monde, tous les gens qui tenaient les théâtres et les cabarets. On nous regardait, on nous prenait ou pas. Grâce à cette façon de chercher du travail – et d'en trouver – nous apprenions notre métier. Nous nous familiarisions avec toutes sortes de répertoires, du plus classique au plus moderne, du plus expérimental au plus commercial. Nous apprenions à distinguer les spectacles intéressants qu'il était profitable de faire et ceux qu'il valait mieux éviter. Je me suis nourri à cette école formidable.

À force de chercher et de chercher, et après avoir joué ici ou là, je suis finalement tombé sur Georges Douking, cet immense acteur aujourd'hui oublié, qui avait travaillé avec Gaston Baty, l'un des membres du fameux Cartel. Dans l'immédiat après-guerre, ce n'était plus exactement l'époque de Jouvet, Dullin, Baty et Pitoeff – qui, avec Copeau, demeuraient mes légendes – mais une période exceptionnelle s'était ouverte, d'ébullition avant-gardiste et de recherche. Je voulais en être... Sur ce chemin, j'ai donc séduit Douking. Il m'a apprécié pour mon humeur, pour mon énergie, et il m'a *emprunté*. Il m'a trouvé des rôles et m'a dirigé pour plusieurs de ses spectacles. J'avais à peine vingt ans et je faisais partie de sa petite troupe.

Les pièces qu'il mettait en scène étaient jouées au théâtre de Pigalle, une grande salle très moderne construite par le baron Rothschild. Avant la guerre, Antoine l'avait dirigée, et puis aussi Jouvet. Elle est fermée depuis 1949, elle a même été démolie. Quand je suis arrivé, en 1946 ou 1947, son directeur disait aux acteurs qu'il ramenait : « Vous allez jouer dans la pièce que nous allons monter. Vous avez le choix : soit votre nom sera inscrit au-dessus du titre mais vous n'aurez pas d'argent, soit vous serez en dessous et je vous donnerai quelque chose. » J'ai dit tout de suite que je voulais être au-dessus du titre. L'argent, je m'en foutais, cela ne m'intéressait pas. Je voulais être en haut de l'affiche et je l'ai été. Je ne me rappelle plus le nom de l'auteur de la première pièce que j'ai jouée là, je me souviens vaguement qu'il était professeur dans une ville du sud de la France. C'était une satire sociale, je crois, une étude... Je ne sais plus. C'est terrible ! C'était il y a si longtemps et j'en ai trop dans la tête. Il y a eu tellement de pièces. Vous voyez, cher Gilles, que je perds parfois la mémoire.

J'aime beaucoup cette période de ma vie avec Douking. Je lui dois énormément, et c'est une chance extraordinaire que je sois devenu intime avec cet homme qu'après coup j'ai lâché et que je n'ai plus revu. Je n'en suis pas fier. Il y a eu de ma part une espèce d'égoïsme. Ce n'était pas bien. J'ai eu d'autres amis, d'autres liens dans le métier. J'avançais. Douking était déjà âgé quand je me suis éloigné, mais ce n'était pas une raison. J'ai un peu honte de ce souvenir. Nous avions été proches. Il m'avait beaucoup aidé.

Quant à savoir si j'ai jamais pensé à entrer à la Comédie-Française, la réponse est non. Je connais mal le français, et il ne faut pas trop me laisser évoquer cette institution parce que je sais que je peux vite être maladroit et déraper. Mais je n'appréciais pas beaucoup cette grosse machine, où il y a trop d'acteurs, trop de monde, et où l'on perçoit les réflexes et les techniques de jeu. Moi, j'aime avant tout travailler *avec puissance* et au plus près du metteur en scène, du réalisateur.

Avec puissance... Je me relis et me dis que l'expression n'est peut-être pas bonne. Mais ce que je veux dire par là, c'est qu'il faut toujours être dans la recherche, avec une énergie brute qui ne sente pas le labeur et la manière. Il faut recommencer sans cesse, recommencer différemment, chercher, essayer de faire autrement, et surtout – c'est ma hantise, je le reconnais volontiers – faire son possible pour ne pas être grandiose et prétentieux. Il s'agit, dans la simplicité et la jouissance modeste, de faire quelque chose d'exceptionnel. Or, très peu de gens sont des jouisseurs modestes de leur propre travail. Beaucoup, même s'ils travaillent bien et font des choses intéressantes, s'ennuient au fond dans l'existence qu'ils ont choisie.

Je repense à mes parents, qui faisaient leur métier de musiciens très sérieusement mais sans passion. Mes parents m'auront toujours servi de contre-modèle. Moi, je ne voulais avancer qu'à la force de mon plaisir : le plaisir du rôle, le plaisir de l'auteur, le plaisir des partenaires, le plaisir du public, le plaisir de tous et de chacun. Mes parents, eux, étaient dans l'économie. Il n'y a pas plus triste. Me passionner pour mon travail et jouir de mon métier, voilà a contrario mon souci principal. Je ne crois vraiment pas avoir eu d'autre ambition que celle-ci, et certainement pas celle qui consiste à nourrir le désir fou d'avoir du succès. Et tant pis si s'exprimer ainsi peut paraître relever de la prétention du faux modeste, la pire de toutes.

Je n'ai jamais cherché à me cantonner dans un créneau et j'ai été, dans mes choix, attentif à la diversité des œuvres que je pouvais jouer. Surtout, j'ai toujours eu l'envie et la volonté de défendre et de participer à la création d'œuvres exceptionnelles, des œuvres folles et intelligentes, des œuvres effrayantes. Des œuvres qui peuvent chahuter, déplaire, étonner, insupporter, et dont on ne sait jamais si elles vont échouer ou avoir du succès. Des œuvres qui ne laissent pas indifférent et qui au besoin font hurler. Hurler, dans le bon sens comme dans le mauvais sens du terme. Certaines gens viennent s'ennuyer au théâtre, et moi j'aime que l'on ne s'ennuie pas devant mon travail. J'espère que vous comprenez que je ne cherche pas à jouer à l'Artiste, ce mot *pétant et pétoire*. J'aime sentir que les spectateurs découvrent une chose qui leur fait écarquiller les yeux, sentir qu'ils s'étonnent profondément, ou qu'ils se mettent en fureur. Le public a parfaitement le droit d'être en fureur et de ne pas apprécier ce qu'on lui propose. Moi, j'ai toujours voulu sortir des sentiers battus.

Les grandes œuvres sont des grands secrets que je voulais exposer au grand jour.

C'est très prétentieux ? Je crains toujours de paraître prétentieux et sentencieux. En général, ce ne sont pas les meilleurs qui ont ces défauts…

Il y a très peu de créateurs qui travaillent vraiment, de créateurs sublimes qui cherchent avec intelligence à proposer quelque chose d'original. Et c'est à leurs côtés que je voulais être. Il y a des gens qui ont des recettes formidables, mais ce sont toujours les mêmes recettes formidables, et, excusez-moi d'être grossier, cela finit par être chiant.

Au contraire, quelqu'un comme Peter Brook, par exemple, est un créateur d'émerveillement exceptionnel, un homme qui ne s'arrête jamais de chercher et ne se satisfait pas de sa seule recette. Il n'a jamais cessé de vouloir inventer et de se renouveler. Il ne s'estimait d'ailleurs pas possesseur d'un quelconque savoir. Il nous demandait d'essayer avec lui. Un créateur de ce calibre reste d'une grande modestie devant son talent, son exception et son intelligence. Cette modestie est si sublime qu'elle lui permet de progresser dans son travail et d'expliquer ce qu'il désire expérimenter avec la plus grande des simplicités. J'ai eu l'immense chance de pouvoir travailler avec lui. J'avais l'impression qu'avec ses douceurs d'inventions et les férocités incompréhensibles qu'il produisait parfois sur scène, il invitait le monde. Mais je me tais parce que j'ai l'impression de devenir grandiloquent. Parler de Peter Brook me rend lyrique…

Je n'ai pas tout de suite travaillé avec des metteurs en scène de théâtre de la puissance de recherche et d'invention de Peter Brook, mais dès le début, mon état d'esprit me poussait à chercher dans cette direction. De sorte que la Comédie-Française, en tout cas celle dont on pouvait avoir l'idée dans ma jeunesse, ne faisait pas exactement partie de mes priorités. À l'époque, mon bonheur consistait à travailler ici et là, à gauche et à droite, quelquefois en ne gagnant pas du tout d'argent, mais emporté dans une énergie de découverte qui m'exaltait ! Ce qui me faisait rêver, c'était un théâtre vivant et furieux, que beaucoup considéraient d'ailleurs comme intellectuel. Je prenais néanmoins tout ce qui se présentait. Il existait alors une vaste collection de merveilleux théâtres. Je voulais multiplier les expériences. Je me rappelle le Théâtre de Poche, l'ABC, la Rose Rouge, le Marigny, le théâtre La Bruyère, de la Comédie de Paris, de la Renaissance, des Noctambules…

J'ai eu le don – et pardon s'il est prétentieux de parler ainsi mais je vais quand même continuer dans cette voie –, j'ai donc eu le don de savoir me poster devant toutes les portes où il fallait frapper pour trouver du travail, que ce soit pour jouer dans des œuvres sublimes, des classiques ou des nouveautés, ou pour présenter des spectacles humoristiques, dans des cabarets ou des boîtes de nuit, comme Le Tabou, par exemple, à Saint-Germain-des-Prés, où j'ai joué souvent. Avec quelques camarades, nous présentions des dialogues humoristiques, des sketches, des scènes de théâtre brèves. Nous étions sûrs de beaucoup nous amuser et nous pouvions même espérer gagner un peu d'argent. Parfois, je jouais dans deux spectacles au cours de la même soirée. Il m'est arrivé d'en faire trois simultanément. Je jouais en début de soirée avec la compagnie Grenier-Hussenot, avant de rejoindre, pas très loin de là, un théâtre comique où passaient les Frères Jacques, pour finir ensuite dans une boîte de nuit.

Voilà ce que furent mes débuts au théâtre. Une période magnifique où je faisais l'apprentissage de ce métier extraordinaire ! Je ne pense pas qu'un jeune comédien avait alors du mal à vivre. Il lui était facile de trouver du travail, ou du moins, les possibilités existaient. Dès qu'une occasion se présentait, je la saisissais. Comme le travail me passionnait, cela se sentait, cela se voyait, et les enchaînements sont devenus très naturels.

Lors de cette période, il m'est arrivé de jouer devant des salles où les spectateurs étaient moins nombreux que les acteurs sur scène, j'observais alors avec avidité, le travail des metteurs en scène comme celui des autres comédiens. Beaucoup d'entre eux m'ont aidé, qui n'étaient peut-être pas, comme on dit pompeusement, *de grands comédiens*, mais dont l'intelligence et la discrétion étaient merveilleuses. Ils avaient une façon de vous regarder, de répondre à une question ou de vous proposer une explication doucement et sans prétention qui vous soutenait considérablement.

Puisque j'évoque les *grands comédiens*, voilà deux souvenirs, qui datent de la fin des années 1950, un peu plus tard, donc, quand je finis par rencontrer deux monstres sacrés. Il y a d'abord eu Vilar, qui m'a engagé pour *Phèdre*, avec Maria Casarès et Alain Cuny. Je ne faisais pas du tout partie de la troupe et c'était la première fois que je travaillais avec lui. Il était prévu que je travaille trente jours, je crois. Et puis j'ai eu une autre proposition, alors j'ai dit à Vilar que je devais me libérer, mais que ça ne m'empêcherait pas de jouer avec lui. Il était stupéfait et tellement furieux que je ne respecte pas un esprit de troupe, pour lequel je n'ai jamais été fait, qu'il m'a remplacé. J'étais puni. Je me suis rendu compte au dernier moment que mon nom avait été effacé de l'affiche. Selon lui, j'avais été malhonnête et mon attitude était inadmissible. Il n'a rien dit, il m'a tout simplement remplacé, c'était sa façon de me mettre à la porte. J'en ai été très malheureux. Et quand je l'ai recroisé, il a refusé de me serrer la main. Plus tard, nous nous sommes rencontrés à nouveau et sommes devenus amis, mais il ne m'a plus jamais fait travailler.

L'autre souvenir est aussi celui d'une rencontre ratée, avec Jean-Louis Barrault. Nous ne nous sommes pas bien entendus et je n'ai heureusement joué qu'une fois avec lui. Là, je n'étais pas responsable de ce ratage, dû à l'autorité extravagante de sa femme, Madeleine Renaud, qui ne m'aimait pas, et à la soumission de Barrault. La compagnie Renaud-Barrault était certes une troupe merveilleuse, mais où les sourires éternels cachaient un autoritarisme excessif et une grande suffisance. Disons-le : on trouvait Barrault charmant, mais quand on le connaissait bien, on finissait par en avoir marre de le trouver charmant.

C'est au cours de mes toutes premières années d'apprentissage théâtral que j'ai rencontré ma première femme, l'excellente comédienne Eléonore Hirt. Elle avait quelques années de plus que moi et c'était une actrice exceptionnelle et reconnue, une fanatique de l'art dramatique. C'était aussi une femme formidable. Je l'ai rencontrée lors de la préparation d'une pièce que l'on devait jouer en province, je ne sais plus où, et qui n'a finalement pas été représentée. Elle m'a beaucoup plu et j'ai su que je pouvais lui plaire. Tout s'est noué entre nous grâce à un petit chien que nous avions trouvé, qui nous avait séduits et que nous avons ramené ensemble à Paris. Je me suis installé dans son appartement, près de la gare Montparnasse. C'était une rencontre de théâtre, avec le théâtre et par le théâtre. Eléonore était une passionnée, avant tout de la vie amoureuse, comme les gens normaux, si je puis dire, mais aussi une passionnée de son métier d'actrice. Elle était douée, elle avait un secret et, en plus de ce secret, quelque chose de grandiose. Elle était rare. Elle cherchait, elle voulait toujours en faire plus, beaucoup plus. Sa passion était démentielle.

Nous avons joué ensemble au théâtre de Babylone, 38 boulevard Raspail, un lieu créé par Jean-Marie Serreau au début des années 1950. C'était une pièce de Pirandello. Eléonore Hirt était un des piliers de ce théâtre, et moi j'y ai tout fait. Je n'y ai pas seulement joué, d'ailleurs assez peu, j'ai surtout aidé à le mettre en place. Au Babylone, j'étais un homme de main parmi les autres. Dans ces théâtres débutants, tout le monde et n'importe qui, y compris les acteurs, faisaient à peu près tout. J'ai balayé, nettoyé, cloué et réparé les sièges. J'ai veillé à ce que tout soit en ordre pour accueillir les spectateurs. J'ai vendu les programmes. Toute cette activité à fournir pour faire vivre un jeune théâtre était passionnante. L'endroit était pauvre, mais animé d'une telle énergie, d'une telle passion, que je me plaisais dans cette ambiance. Il y a eu là des moments de théâtre extraordinaires. J'y restais souvent le soir, même quand je ne jouais pas. Ce fut une expérience merveilleuse, qui n'a malheureusement pas tenu longtemps. Dans cette salle, qui se consacrait aux auteurs contemporains, des écrivains de théâtre exceptionnels ont été découverts. Là ont été créés *En attendant Godot,* de Beckett, et *Amédée* de Ionesco.

Mais avec Eléonore Hirt, nous n'avons pas seulement partagé le théâtre, nous avons également eu une fille. Il n'est pas facile d'en parler car nous sommes froissés et j'ignore ce qu'elle devient. Nous ne nous sommes pas revus depuis longtemps, je sais seulement qu'elle a eu trois enfants. Je suis grand-père de ce côté-là et c'est très douloureux d'être dans cette situation d'éloignement et de brouille. Il est assez lamentable de ne pas avoir réussi à la réparer. Encore une chose dont je ne suis pas fier.

III.

Le cinéma

Cher Michel,

Vous rendez-vous compte que sur la notice filmographique que j'ai sous les yeux et qui vous concerne, je vois : « Michel Piccoli a tourné dans plus de 200 films. » *C'est impressionnant !*

Vous souvenez-vous de vos débuts au cinéma ? Quand avez-vous eu le sentiment que cela décollait vraiment pour vous ? Quel fut le virage ? En 1956, avec La Mort en ce jardin *de Buñuel, avec qui vous tournerez de nombreuses fois plus tard ? Avec* Le Doulos *de Jean-Pierre Melville, en 1962 ? Ou* Le Mépris, *de Jean-Luc Godard, en 1963 ? Et que se passe-t-il quand vous comprenez que vous devenez une* « vedette » *?*

Le cinéma et le théâtre étaient-ils en concurrence à vos yeux ? S'il avait fallu choisir un seul de ces deux métiers, qu'auriez-vous choisi ? Pendant de longues années vous avez arrêté de jouer sur scène…

Quels furent les cinéastes qui vous auront le plus marqué, le plus apporté ? Claude Sautet, pour qui vous étiez ce que Mastroianni était pour Fellini : une sorte de représentation de soi-même ? Marco Ferreri qui, avant la Grande Bouffe, *vous a donné ce rôle incroyable dans* Dillinger est mort *où vous êtes le seul personnage, tout seul sur l'écran pendant les 95 % du temps d'un film presque sans dialogue et qui repose entièrement sur l'art du comédien, comme si vous en étiez le coauteur ? Dans ce film, vous êtes génialement inventif !*

Et Bardot ! Comment vous est-elle apparue sur le tournage du Mépris, *entre Godard et Fritz Lang ? Et Romy Schneider ! Je ne peux pas croire que vous ayez tourné avec elle sans en être tombé amoureux…*

Puisque vous avez évoqué votre première femme, je m'autorise une question impudique : Comment avez-vous rencontré Juliette Gréco, votre deuxième femme ?

Cher Gilles,

Vous m'effrayez ! « Michel Piccoli a tourné dans plus de 200 films » ? Comment voulez-vous que je m'y retrouve ?! Ce n'est pas le nombre de films qui m'effraie, mais de penser que je suis aujourd'hui loin de pouvoir me souvenir du quart d'entre eux. Alors que j'ai toujours essayé de participer le mieux possible aux films que j'entreprenais, je les oubliais une fois qu'ils existaient. Je n'en nourrissais pas ma mémoire. C'était presque une volonté de ma part de ne pas regarder en arrière.

Le cinéma, je n'y ai d'abord pas trop pensé, comme si cela n'avait rien à voir avec le théâtre. Je ne crois pas avoir fait partie de ces comédiens snobs qui pensaient que faire un film était une sorte de prostitution, mais je le voyais comme un autre métier. Au tout début, j'en ai fait par hasard et pour des raisons alimentaires. Le cinéma, cela commence pour moi tout de suite après la guerre. Je me retrouve figurant sur un film de Christian Jaque. Mon boulot, c'est de ne pas être remarqué par le public, je suis une partie de la foule. Je ne vois jamais le metteur en scène, juste des assistants qui nous dirigent comme du bétail, et je ne sais même pas si je vois la caméra.

En 1948, j'ai un petit rôle dans *Le Point du jour,* de Louis Daquin. Tout me paraît étrange : l'absence de public, les contraintes techniques, le gros œil de la caméra. Je suis en constant déséquilibre par rapport à tout ce que j'ai appris au théâtre. L'action se passe dans la vie quotidienne des mineurs du Nord. Certains de ces ouvriers deviennent des figurants dans le film qui les raconte et je me souviens de l'un d'entre eux, cabossé par ses années de travail, qui me dit qu'il trouve mon métier épuisant et qu'il préfère le sien. Le film a été un bide. Mais tout de suite après, Louis Daquin m'a repris pour *Le Parfum de la dame en noir*, dont je n'ai absolument aucun souvenir.

Au début des années 1950, je ne crois pas qu'il y ait eu quoi que ce soit de bien exceptionnel. Pendant longtemps, le cinéma est resté un travail d'appoint, une occupation secondaire par rapport au théâtre. Je tournais ce qu'on me proposait. Le résultat doit être hétéroclite. Hormis quelques exceptions, la plupart des premiers films ne me concernaient pas.

Je me souviens quand même de Jean Gabin dans *French Cancan*, de Jean Renoir, en 1955.

Il m'a impressionné par son attitude. Gabin était dénué de toute vanité. Il ne quêtait pas l'œil de ses admirateurs. Il en était à un moment de sa carrière où il dégageait même une sorte de lassitude, comme s'il se désertait lui-même. Parmi les exceptions, peu après *French Cancan*, alors que j'étais bien décidé à mieux chercher les bons films dans lesquels pouvoir jouer, j'ai tourné pour Luis Buñuel. Je tournerai sept fois avec lui, dans pratiquement tout ses derniers films réalisés en France mais, la première fois, ce fut en 1956, avec Simone Signoret, dans sa période mexicaine pour *La Mort en ce jardin.*

Ce tournage m'a beaucoup marqué. À peine Simone Signoret et moi sommes-nous arrivés au Mexique par le même avion, que Buñuel a commencé son numéro avec moi. Il est venu nous accueillir à l'aéroport, il a été très aimable avec Signoret, et puis il s'est retourné vers moi pour me dire : « Vous, Piccoli, je suis content de vous voir, même si vous n'êtes pas du tout le personnage, espérons que ça ira quand même… » Cela aurait pu être vexant ; au contraire, la phrase m'a régalé. Sur le tournage, nous n'avons pas cessé de nous faire mutuellement des blagues.

J'étais encore jeune au cinéma, mais j'avais bien compris que si je lui parlais avec trop de déférence, si je lui témoignais l'émotion extrême que j'avais de travailler avec lui, il n'allait pas du tout apprécier et me regarderait de travers.

Luis Buñuel dégageait à la fois une grande tenue et une grande simplicité. Il semblait dire : « Je ne suis pas celui que vous pensez et moi-même je ne sais pas comment je suis. » Tout le monde dégoisait autour de lui sur la signification de certaines images ou séquences, à la recherche de symboles à décrypter. Lui, il restait parfaitement silencieux au milieu de ce bavardage, et il faisait l'étonné devant les interprétations qu'on lui soumettait. Il était extrêmement culotté, avec un sens de la vilenie dans la plaisanterie et de la grossièreté rapide qui était très savoureux. Par exemple, il était parfait avec sa femme, mais je revois encore la manière dont il disait : « Mais qui est-ce qu'elle va encore fréquenter ? » Un jour, je lui demande comment elle va. Il me répond qu'elle va bien et qu'elle a un amant. Est-ce qu'il plaisante ? Je me mets à rire et lui demande alors s'il connaît l'amant. « Oui, et c'est un curé. » Je ris de plus belle.

Il me conseille de ne pas rire en m'expliquant qu'une telle contrariété pourrait très bien m'arriver. Quelques jours plus tard, je lui demande comment va l'amant de sa femme. « C'est fini, me dit-il. Ma femme est morte. »

À l'époque de *La Mort en ce jardin*, je n'étais pas encore un acteur connu et je me souviens bien de la combine grâce à laquelle je me suis retrouvé à tourner ce film. Au milieu des années 1950, j'étais à l'affût des meilleurs rôles possibles au cinéma. Comme je vous l'ai déjà dit, je n'avais pas peur de frapper à toutes les portes et je m'étais donc un jour retrouvé dans les bureaux d'une production qui cherchait quelqu'un pour un rôle dans le nouveau film de Buñuel. Plusieurs acteurs étaient sur les rangs. Je suis retourné de nombreuses fois dans les bureaux de la production pour faire des essais et attendre de savoir si j'étais choisi, mais les responsables du casting ne se décidaient pas. J'en avais assez et j'ai eu brusquement une idée pour accélérer le mouvement : j'ai envoyé un mot à Buñuel sur lequel j'avais écrit : « Prévu pour le rôle du prêtre. Envoyez votre confirmation s'il vous plaît. » C'était culotté, mais ça l'a amusé. Je ne le connaissais alors que vaguement mais j'avais l'intuition que je pouvais lui faire cette sorte de farce. D'autres que moi ont eu ce genre de culot, par exemple Ingrid Bergman, qui a glissé à Cannes une lettre dans la poche d'Hitchcock : « Je voudrais tourner avec vous. » C'est tout. Un petit billet. C'est très honnête, très franc, même si c'est un jeu dangereux et que ce genre de démarche ne mène en général nulle part.

Puisque j'évoque Hitchcock, vous savez que j'ai joué dans un de ses films, *L'Étau*. C'était bien plus tard, dans les années 1970.

Hitchcock était très charmant. Je me souviens de lui avoir fait à lui aussi une farce qui l'a amusé. J'attendais de tourner une scène, je me concentrais, et puis un technicien est venu me chercher. « Monsieur, Hitchcock vous attend. » J'ai répondu que je n'étais pas prêt. Le type était sidéré. Comment cet obscur acteur français osait-il ? J'ai laissé traîner un peu, et puis je suis allé voir Hitchcock qui a commencé à me décrire la scène. Je l'ai regardé et lui ai demandé : « OK, yes, but what is the big meaning ? Quelles sont les motivations du personnage ? » Il a ri et il m'a dit : « Your motivation is Money. » J'ai ri à mon tour. « Vous ne pouvez pas m'expliquer mon personnage ? — Pas question, m'a-t-il répondu. Vous, les acteurs, vous gagnez assez d'argent. Vous ne voudriez pas en plus que je vous explique votre personnage ! Est-ce que vous croyez que j'explique son personnage à James Stewart ? Dieu merci, il ne pose pas ce genre de questions... » Il y a eu un tas de petites plaisanteries de ce genre entre nous. C'était très amusant, très sympathique, et aussi très émouvant.

Je me suis retrouvé à dîner chez lui, à Los Angeles, avec quelques-uns des acteurs français qui jouaient dans le film. C'était merveilleux. Le repas a duré longtemps. C'était très gai. Il nous a fait visiter sa maison, en particulier la cuisine, qu'il tenait à nous montrer par-dessus tout. À la fin de la soirée, on lui a dit : « Et si on allait dans une boîte de nuit ? » Il a semblé hésiter, avant de finalement dire qu'il était trop tard. Il s'était bien amusé avec tous ces Français. Cela dit, son film où j'apparais est raté. Enfin, ce n'est pas son meilleur.

Vous avez cité Jean-Pierre Melville. Nous nous sommes bien connus. Je le voyais assez souvent à l'époque où je commençais à avoir des rôles plus importants au cinéma, et il me notait. Il était attentif. Il me téléphonait souvent. J'étais très heureux de pouvoir aller le voir dans son studio de la rue Jenner. Il m'a beaucoup aidé à comprendre le cinéma, et sa fréquentation m'a permis de m'orienter, de déterminer ce que je voulais y faire. Malheureusement, je n'ai joué qu'une petite fois pour lui, dans *Le Doulos*. Ce qui me fait d'ailleurs penser que je n'ai pas beaucoup joué les voyous. J'ai beaucoup joué les bizarres, mais pas tellement les voyous.

Comment ai-je été amené à jouer dans *Le Mépris* ? Je me souviens de la rencontre avec Godard. Il m'a convoqué pour me dire qu'il allait tourner une adaptation du livre de Moravia. Est-ce que cela m'intéressait ? À ce moment-là, au début des années 1960, je n'existais pas, j'étais un jeune acteur peu connu. Il n'a pas fait de laïus flatteur pour m'expliquer pourquoi il m'avait choisi – ce n'est pas le genre de cinéaste qui s'embarrasse de rassurer les comédiens pour combler leur narcissisme. Quand j'ai répondu oui, il m'a dit que le tournage commencerait trois semaines plus tard, en

Italie. J'étais impressionné d'aller travailler pour Godard, et aussi de savoir que j'allais tourner avec Brigitte Bardot, qui était alors une immense star, et avec Fritz Lang.

Godard aussi était très impressionné. Par tout le monde, par Lang, par Bardot, et même par moi malgré ma jeunesse. Il était impressionné, mais il était le patron et il se dégageait de lui une grande autorité. À l'époque, en 1963, tout le monde ne le connaissait pas encore mais son assurance était déjà grande. *Le Mépris*, c'était une œuvre bizarre, avec d'un côté un créateur qui avait réalisé des petits films, disons « extravagants », et dont la critique disait qu'il révolutionnait le cinéma, et de l'autre une immense star, Brigitte Bardot, qui faisait vibrer les magazines et les foules. Les producteurs voulaient faire « un coup ». Godard leur a donc fourni l'histoire de ces personnages en perdition dans son premier film en couleurs. Mon personnage est un écrivain lâche qui se laisse engloutir par le monde de l'argent et qui n'écrit plus ce qu'il veut écrire. Un double inversé de Godard.

Le Mépris m'a donné parmi les plus beaux moments que j'aie pu vivre avec mon réalisateur et mes partenaires. Tous, Fritz Lang, Bardot, l'équipe des techniciens, nous travaillions dans la joie, mais aussi avec une sévérité exceptionnelle. Il est rare qu'un film suscite à la fois autant de joie et de concentration. Godard savait ce qu'il voulait. Il ne faisait pas souvent rejouer les prises. Ce fut un tournage à la fois très plaisant et très sérieux. Il n'y avait pas beaucoup de temps pour la rigolade. Godard pouvait être dur, mais il exerçait son métier avec disponibilité et bienveillance. C'était même quelqu'un de très émotionnel. Il avait une très grande tendresse pour les personnes qui travaillaient avec lui, aussi bien les acteurs que les techniciens. Bien sûr, il était caustique, très ironique. Je me rappelle qu'il avait arrangé le planning de tournage pour pouvoir passer le week-end en France avec une femme. La veille, il me demande ce que j'ai prévu de faire pendant ces deux jours, et je lui dis que je vais rester en Italie et sans doute aller visiter Pompéi. Sachant que j'ai aussi une femme qui m'attend à Paris, il me lance tout à trac : « Tu préfères les villes mortes aux femmes vivantes ? »

Il n'y avait guère que Jack Palance qui n'était pas dans le coup sur le tournage. Il ne comprenait pas ce qu'il devait faire, le sens de ses scènes et comment il avait pu se retrouver à participer à un tel film. Il était toujours de mauvaise humeur et de mauvaise volonté. Godard sentait que Palance ne comprenait rien et il est devenu odieux. Il ne pouvait plus le supporter et ne cessait de maugréer après lui. Je l'entends encore : « Mais qu'est-ce qu'il est con, celui-là ! » Il a fini par l'ignorer, par faire comme s'il ne le connaissait plus. Il l'a laissé se débattre dans son rôle, ce qui d'ailleurs finit par très bien convenir à son personnage.

Fritz Lang était ravi de faire *Le Mépris*. Il était heureux de jouer Fritz Lang. Il s'était juré de ne pas donner de conseils à Godard et il est resté muet pendant le tournage. De toute façon, même si le jeune cinéaste avait une grande admiration pour le monument de l'histoire du cinéma qu'est Lang, il fallait qu'il se taise comme tous les acteurs. Ils étaient très réservés l'un vis-à-vis de l'autre. On percevait le respect et la complicité pudique entre le vieil homme et le jeune homme. Bien sûr, Godard était très impressionné, presque comme un enfant, très ému d'avoir sur son plateau ce réalisateur historique comme on a un jouet. Ils étaient tous les deux extrêmement heureux de se penser comme des grands hommes du cinéma…

Fritz Lang et moi avions plutôt des rapports de copains. Pendant le tournage, à Capri, quand nous tournions dans la grande demeure de Malaparte, nous allions sur le plateau ensemble, à pied. Nous avions pris l'habitude de faire deux fois par jour en tête à tête cette promenade d'une demi-heure. Comment Fritz Lang m'appelait-il déjà ? Peut-être pas « le crétin » mais quelque chose comme ça. Je suis devenu assez ami avec lui et suis allé plus tard le voir plusieurs fois aux États-Unis, à Los Angeles, notamment, quand j'ai tourné dans *L'Étau* d'Hitchcock. Nous restions entre nous, sans personne des studios ou du petit monde du cinéma hollywoodien. Un soir, alors que je refusais je ne sais plus quelle soirée mondaine en prétextant que j'allais le rejoindre, quelqu'un s'est étonné : « Tu vas chez Fritz Lang ? Il n'est pas mort ? » Il était âgé mais encore très vivace. Il vivait avec une femme et je n'ai jamais bien compris le type de relation qu'ils avaient. Peut-être étaient-ils mariés, peut-être l'aimait-il énormément, mais elle me semblait avant tout lui être nécessaire et utile. Elle restait comme à distance. Fritz Lang aimait beaucoup incarner l'autorité. Il avait profondément ce besoin.

Quant à Brigitte Bardot, la grande star qui faisait fantasmer le monde entier, le premier souvenir que j'ai d'elle c'est une absence. C'est surprenant mais exact : Brigitte Bardot était si impressionnée par le renom de Fritz Lang qu'elle s'était cachée et avait disparu au moment où on devait le lui présenter. Vous voyez, on est loin de ce que le nom de Bardot laisse imaginer. Comme vous le savez, Bardot n'est pas une idiote, loin de là. Elle avait lu le livre de Moravia. Même si certains des choix de Godard lui paraissaient incompréhensibles, elle voyait et se disait qu'elle jouait dans un film extraordinaire.

Je n'avais jamais rencontré Bardot avant le tournage et j'ai été ébloui par son innocence et sa spontanéité. Elle avait une énergie formidable. Elle était devant les caméras comme dans la vie, une actrice très simple qui ne faisait pas du tout la star. Elle était très disciplinée dans son travail. Elle était à l'heure. Elle connaissait son texte. Elle était vraiment très sérieuse, très précise, sans doute parce que travailler avec Jean-Luc la rendait anxieuse. Je crois que je la détendais parce qu'elle sentait bien que j'avais compris son inquiétude. Ce n'était pas une diva prête à faire tous les caprices auxquels on aurait pu s'attendre. Elle avait d'ailleurs pour problème principal d'être comme dépassée par sa gloire encombrante. Elle était en quête de savoir. Elle se demandait comment faire au mieux. Ce qu'on peut comprendre, parce que Godard donne quelquefois aux acteurs le sentiment qu'ils doivent se débrouiller tout seuls. Comme s'il n'y avait qu'à faire les choses, sans qu'il soit utile de leur fournir des explications pendant des heures – en tout cas le genre d'explications auxquelles nous habituent la plupart des metteurs en scène.

C'était très étonnant de voir cette Brigitte Bardot si extraordinaire se comporter comme une petite fille attentive et disciplinée. Sur le tournage, elle était de bonne humeur. Elle jouait aux cartes avec les coiffeurs, les maquilleurs. J'étais heureux que nous parvenions à nous aider pour bien travailler ensemble. Même si elle s'étonnait quelquefois d'avoir accepté de tourner dans ce film, elle était fascinée par cette œuvre remarquable et par cet épouvantable Godard qu'elle admirait. Je peux en témoigner parce que j'ai beaucoup vécu avec elle pendant ce tournage, en tout bien tout honneur. On était devenus deux copains qui blaguaient ensemble. Elle m'épatait, pour elle, tout était normal. C'est ce qu'elle répétait si je m'étonnais d'une chose ou d'une autre. « Mais c'est normal ». Pour elle, il n'y avait jamais de quoi s'énerver. Moi, je me suis en tout cas sérieusement énervé pendant le tournage. Une couverture de *France Dimanche* parlait de Bardot et moi et posait la question : « Va-t-il lui résister ? » J'ai téléphoné au compagnon de Brigitte pour lui dire que c'était de la folie et à l'auteur de l'article pour l'insulter. Il m'a répondu que j'aurais dû être heureux de cette publicité...

Tout a été dit sur le tournage de la fameuse scène d'introduction. Les deux producteurs ne voulaient pas seulement que Godard filme Bardot, ils voulaient aussi que le film la *montre*, la dévoile. Il fallait une scène osée. Godard a donc fini par concevoir une des plus belles scènes d'amour que j'aie jamais jouée au cinéma. Le plan était le suivant : Bardot était nue, allongée sur le ventre. Elle ne montrait pas son inquiétude, s'il y en avait eu une, et elle pensait de toute façon qu'il n'y avait pas de honte à se montrer nue. Elle était très naturelle, très calme. Godard avait mis un livre sur les fesses de Bardot, et le volume était orienté de telle sorte que la caméra voyait le titre, qui avait un rapport avec la nudité. À cette époque, je n'osais jamais donner de conseils aux cinéastes, et certainement pas à quelqu'un comme Godard, pourtant je lui ai dit : « Écoute tu exagères, il vaudrait mieux le mettre ailleurs. » Et il l'a fait. Il a dû penser que j'avais raison, que c'était une image vulgaire et qu'il fallait retirer le livre. Le tournage de cette scène a été très rapide.

Vous avez bien raison de souligner que Marco Ferreri a été pour moi un des cinéastes les plus importants, et aussi un ami capital. Il y avait chez lui tellement de malice, tellement de secrets, tellement de distance. C'était un être unique, grandiose d'intelligence et de générosité. Le désir qu'il avait d'être avec ses amis, envers qui il se conduisait merveilleusement, était émouvant. Il n'avait pas tous les défauts de ce qu'on appelle les « grands artistes ». Il était peu professoral et en même temps très imposant, de ces personnes qui écoutent plutôt qu'elles ne parlent, qui laissent le silence être le silence et ne font pas de discours pour rien. S'il ne savait pas quoi dire, il se contentait d'un « bon, qué je m'en vais ». Il pouvait être méprisant, s'il considérait qu'il perdait son temps, et il n'avait pas tort. Avec lui, il fallait y aller ! « Ah qué il faut faire maintenant. — Faire quoi ? — Qué il faut faire ! »

Je me souviens du jour où je l'ai rencontré pour la première fois, quand il m'a littéralement sauté dessus pour parler de son film. Je me rendais sur un tournage et j'étais en retard, je me dépêchais. Il m'arrête et me dit : « Qué je suis Ferreri, qué je veux vous voir et vous parler. » Je savais à peu près qui était Ferreri, de nom, mais je ne le connaissais pas personnellement. Je lui réponds que je suis très en retard et qu'il faut que j'aille travailler mais que, s'il veut, le lendemain matin je viendrai en avance pour que nous puissions nous parler. « À qué c'est bien, au revoir et à demain. » Je le retrouve donc le lendemain dans un café. Il me donne un papier à lire. « Qué je veux que vous lisiez. » Je le lis rapidement et lui demande s'il compte vraiment raconter cette histoire d'un homme qui s'ennuie tout seul dans son appartement et finit par tuer sa femme. Il me dit « Qué oui » et il ajoute « Qué vous pouvez le faire ? ». Je dis oui. J'avais eu immédiatement l'intuition que je devais accepter. « Qué on va se revoir et on va le faire. À plus tard. » Il reprend son papier et s'en va. C'était *Dillinger est mort.* 1969. Un très beau film, étonnant, avec un seul personnage principal, en effet, mais avec deux rôles de femme, peu présents dans le film mais qui ont leur importance.

Vous vous trompez, Gilles, quand vous dites que tout le film repose sur l'art du comédien. Non, ce n'est pas l'art du comédien, c'est celui de l'auteur, du réalisateur. C'est son travail qui est capital. Je ne suis pas tout seul sur l'écran parce que je suis toujours avec le réalisateur. C'est Ferreri que l'on voit. Le public comprend bien que, même s'il n'y a qu'un seul acteur à suivre, il y a surtout un auteur exceptionnel. Ce travail de l'acteur, c'est le réalisateur qui l'a écrit. C'est Ferreri qui a imaginé ce personnage, lui qui sait ce qu'il veut faire.

Si je m'en sors correctement, c'est parce que j'ai la passion de mon métier, de cette œuvre si singulière, et surtout du réalisateur qui m'a offert la partition où il invente toute cette merveille de jeu possible. Sans doute, j'invente aussi quelque chose, mais je ne suis certainement pas l'auteur ou le coauteur. Même si je peux penser que j'ai réussi à tenir mon rôle de manière admirable, est-ce moi qui ai réussi l'essentiel ? Est-ce que ce n'est pas d'abord ce réalisateur entre les mains de qui j'ai travaillé et dont on voit immédiatement le génie ?

Je suis la marionnette de Ferreri. Quand il m'a demandé, après que j'ai lu son scénario dans sa version finale : « Qué vous êtes vrément sûr et certain qué voulez faire le film ? », j'ai dit oui, sans bien savoir encore qui il était, mais en étant déjà passionné par cet homme, son écriture, sa modestie. Je ne pouvais que me confier totalement à lui. Je me suis régalé à montrer à travers moi son personnage, sa vision. Avec des mots très justes et très peu de moyens, il a su exprimer ce qu'il souhaitait. Il est l'auteur.

Je suis tellement heureux d'avoir si bien réussi ce film. Et je ne parle évidemment pas des lauriers que vous m'avez tressés dans votre question. *Dillinger est mort* est le genre de film qui, dès le tournage, vous procure une jouissance extraordinaire de votre métier. J'en ai tout de suite été très content ! Avant même de l'avoir vu fini. Et quand je le revois maintenant, quarante-six ans après, il continue de provoquer chez moi de l'étonnement. Je suis toujours stupéfait par l'intelligence de Ferreri. Vous n'imaginez pas combien j'ai aimé travailler avec lui. Cela me réjouit de penser qu'un film comme *Dillinger est mort* existe. Peu importe le nombre de spectateurs qui continueront ou pas à le voir. Ce n'est pas un film facile. Mais je pense que c'est un des plus beaux que j'aie faits. Un film fou qui ne s'explique pas...

Les films de Ferreri sont les fables satiriques d'un grand moraliste pessimiste, qui montre ce que sont en train de devenir la société et le monde, courant vers leur perte. Ils sont à la fois violents et pudiques. Ferreri pouvait être furieusement grossier, mais de façon brève, et il n'était jamais vulgaire.

L'autre film que j'ai fait avec lui, et qui a eu tant de succès, était aussi une fable, mais une farce et une tragédie. Que signifie d'aller jusqu'à se tuer pour être heureux ? Que l'on recherche le bonheur jusque dans la mort ? Dans *la Grande Bouffe*, les quatre personnages, que jouent Marcello Mastroianni, Ugo Tognazzi, Philippe Noiret et moi, sont à la fois grandioses et ridicules, énormes, et aussi très concrets. Des personnages réalistes, avec leur bonheur triste...

Je crois que Noiret était assez impressionné de tourner dans ce film. Intéressé, curieux, mais impressionné. Il n'était pas dans la même énergie que nous, pas autant dans la fusion que les trois autres acteurs. Je le revois assis, dans une pièce qu'il s'était aménagée, lisant son journal et attendant de venir tourner. Il se tenait à part, présent pour lui-même et pas pour nous. Il se concentrait, évidemment, mais aussi il se contentait. Ce peut-être problématique de se contenter, parce qu'on n'est pas à l'aise avec les copains, pour parler vulgairement. Noiret était solitaire. Cela pouvait faire un peu crâneur. Peut-être qu'il était gêné à l'idée de ne pas pouvoir complètement s'intégrer et trouver sa place parmi les

Italiens et avec moi ? Mais il est vraiment parfait dans le film. Son personnage est magnifique.

Je me rappelle une scène, au début, où Andréa Ferréol lui recoud un bouton à la braguette. Sur son pantalon, à même le corps. Et vient le moment où il faut mordre le fil pour le couper… J'adore ce genre de petite farce dans les films de Ferreri. Andréa Ferréol était merveilleuse sur le tournage. Elle aussi était intimidée, mais en même temps elle éprouvait une grande jouissance à l'idée d'interpréter ce rôle. Elle avait les deux éléments : l'angoisse et la jouissance.

Le souvenir de *la Grande Bouffe* que je conserve comme un moment troublant, ce sont les scènes de danse. Ferreri m'avait demandé de faire des exercices de danse en solitaire et il me disait de continuer, de ne surtout pas m'arrêter. On a tourné longuement, dans différentes parties du décor. Il ne m'avait pas donné d'explications : il fallait que je danse, c'est tout. Il n'y avait que lui pour avoir de telles idées. Il a tout gardé. Je ne pensais pas que ces scènes dureraient autant dans le film.

De ce tournage, je garde l'image de Tognazzi, qui devait manger des huîtres alors qu'il déteste les huîtres. Il prenait les huîtres, il avalait, il avalait, il avalait, il avalait, et au bout d'un moment il recrachait. Et il recommençait. C'était magnifique. Quand je pense à ces grands acteurs italiens, Marcello Mastroianni, Ugo Tognazzi, je me dis qu'en France, en comparaison, ce que nous faisons est très souvent bien lourd… J'ai toujours trouvé que les gens de cinéma à Rome, en Italie, vivaient ensemble d'une manière extraordinaire. La façon dont les acteurs se parlaient, se regardaient, s'admiraient était exemplaire. « C'est toi, salaud, qui a fait le film que j'aurais dû faire ! » C'était merveilleux de voir comment ils faisaient semblant de s'engueuler.

Le premier film de Ferreri dans lequel j'ai joué, *Dillinger est mort*, est lié dans ma mémoire aux *Choses de la vie*. Les deux films sont sortis au même moment. Ils étaient très différents dans leur forme, mais proches à mes yeux dans leur contenu. Mes deux personnages ne supportaient plus leur existence. Après, j'avais emmené chacun des deux cinéastes voir le film de l'autre. Claude Sautet avait adoré et était enthousiaste. « Est-ce que je veux continuer à faire des films après avoir vu ça ? » Ferreri était resté silencieux, avant de reconnaître qu'il n'avait pas aimé *Les Choses de la vie*, trop sentimental et enlisé dans la vie ordinaire à son goût. Sautet, qui avait mis du temps à réaliser les films qu'il souhaitait vraiment faire, était obsédé par le concret. « Il n'y a que ça qui m'intéresse », m'a-t-il expliqué un jour, dans une de ses colères.

Je ne le connaissais pas avant ce premier film avec lui, et nous sommes devenus très amis. Bien sûr, je devais être à ses yeux une sorte de représentation de lui-même. C'était un malade de la cigarette et, dans tous ses films, il fallait que je fume. J'en étais grotesque. Pour une scène où je devais être en colère et que je n'arrivais pas à jouer comme il le fallait, je me suis mis à l'imiter. Le déclic. Sautet était ravi par la solution que j'avais trouvée.

Romy Schneider était merveilleuse. Nous nous sommes tout de suite bien entendus et nous sommes devenus des proches, très complices, mais avec un grand respect entre nous. Elle était radieuse et magnifique. Je l'appelais « la chleuh ». Elle savait que j'aimais me moquer d'elle et elle aimait ça. La chleuh ! C'était le genre de choses qui la faisait rire comme une folle. Elle en riait parce que j'osais me comporter avec elle autrement que tous ses prétendants et amoureux. Mon attitude la détournait de sa grandeur. Quelle actrice ! Elle était toujours heureuse de tourner et étonnée d'avoir de belles choses à faire. J'adorais la voir travailler, elle était passionnante et très émouvante, très intimidante. Et très intimidée, très peu sûre d'elle.

L'ai-je aimée ? Non, je n'ai jamais été amoureux de Romy, mais je l'ai bien connue. J'ai vite compris qu'elle n'arrivait pas à être heureuse, qu'elle ne savait pas ce qu'il fallait faire pour l'être. C'est l'actrice dont j'ai été le plus proche, celle dont j'ai le mieux connu les douleurs, la vie. Elle était toujours en inquiétude. Je me demande si elle est allée au bout de toute sa puissance. Elle était très faible. C'était une de ces vies qui sont pleines de chagrin. Tout devenait douloureux très vite. Je l'ai deviné, et quand on s'est davantage connus, elle me l'a dit, elle me l'a avoué. De sa naissance à sa mort, elle n'a jamais été heureuse. Elle a parfois cru être heureuse, mais ne l'a jamais vraiment été. Elle a sûrement eu de grandes et authentiques passions amoureuses, et beaucoup de malheurs amoureux. Sautet était amoureux fou de son actrice et terriblement heureux de travailler avec elle. Elle et moi avons eu la faiblesse de nous laisser aller à des gestes pas toujours honnêtes, mais cela n'a jamais détruit, comme on dit, l'amitié que l'on avait l'un pour l'autre. Jamais.

J'ai tourné deux fois avec Romy, dans *Les Choses de la vie* et dans *Max et les ferrailleurs*. Elle passe rapidement dans *Mado*. Dans *César et Rosalie*, l'autre film qu'elle a tourné avec Sautet, son partenaire est Yves Montand. Lui, je ne l'aimais pas beaucoup.

Il m'a fallu du temps pour ne plus du tout mettre le cinéma et le théâtre en compétition. Aujourd'hui, je sais que je n'ai eu qu'un seul métier qui s'est orienté vers deux directions, mais il est vrai que je n'ai pas fait de théâtre pendant de longues années. C'est le cinéma qui m'a transformé en vedette, au milieu des années 1960, avec *Le Mépris* de Godard, avec *De l'amour*, de Jean Aurel, et avec *Don Juan*, mis en scène pour la télévision par Marcel Bluwal.

Le soir de la diffusion du téléfilm, en 1965, le chef-d'œuvre de Molière a certainement été vu par plus de spectateurs qu'il ne l'avait été depuis sa création, trois siècles plus tôt ! Douze millions en une soirée, vous vous rendez compte ? J'ai beaucoup aimé travailler à la télévision quand celle-ci, avec des gens comme Bluwal, savait expérimenter. C'était une époque où il arrivait que l'on joue d'un seul coup. En direct. Il fallait avoir la mémoire totale.

Je suis très peu monté sur les planches dans les années 1960 et 1970 mais je me souviens malgré tout du *Vicaire*, en 1963, adapté par Jorge Semprun. Je tournais la journée et je montais sur scène à l'Athénée le soir. C'était une pièce intéressante, mise en scène par François Darbon et Peter Brook, qui a fait l'objet d'une polémique violente. Elle attaquait l'attitude de Pie XII envers les juifs pendant la guerre. Le débat et la violence provoqués par le propos ont inondé la presse. Les intégristes faisaient du raffut tous les soirs et la police venait rétablir l'ordre. On a même cru que la pièce allait être interdite pour trouble à l'ordre public. Je jouais Kurt Gerstein, et un soir, l'acteur qui jouait le Vicaire a pris peur et il est parti. J'ai pris la brochure, je suis monté sur scène et j'ai lu le rôle. C'était la première fois que je jouais un pape. Celui de Nanni

Moretti, dans *Habemus Papam*, a peur lui aussi, mais c'est de ne pas être à la hauteur de la fonction. Jusqu'à aujourd'hui, je n'avais pas encore fait le rapprochement entre les deux rôles…

J'ai repris le théâtre au début des années 1980, avec *La Cerisaie*, de Tchekhov, mise en scène aux Bouffes du Nord, par Peter Brook encore : un maître ! Je venais de me marier avec Ludivine et elle assistait presque tous les soirs au spectacle. Elle a dû voir *La Cerisaie* dix-huit fois ! C'était en 1981. J'avais tourné avec Louis Malle un peu avant, dans *Atlantic City*. La ville était incroyable, c'était l'époque où elle passait de cité balnéaire à l'univers du jeu. J'ai adoré travailler avec lui. Plus tard, il y a eu *Milou en mai*. Un tournage merveilleux ! On avait chacun notre petite maison, dans le sud du Gers, et on se retrouvait le soir pour des bouffes sublimes qui s'éternisaient.

Le metteur en scène de théâtre avec lequel j'ai été le plus proche dans les années 1980 est Patrice Chéreau. J'ai notamment joué avec lui deux pièces de Bernard-Marie Koltès, *Combat de nègre et de chiens* et *Le Retour au désert*. Chéreau avait une grande autorité, une grande précision, une grande jouissance des textes, un grand plaisir des acteurs. Il était extrêmement travailleur. Il a considérablement soutenu Koltès dans son travail d'écriture. Ils étaient unis par une relation furieusement passionnelle. J'ai joué beaucoup de pièces mises en scène par Chéreau quand il dirigeait le Théâtre des Amandiers et nous sommes devenus amis. Il m'avait présenté son père. J'aimais me sentir comme un petit peu de sa famille. Nous sommes allés voir ensemble son père quand il était très malade. L'amitié et le travail allaient de pair.

Chéreau vivait dans l'excès et l'exigence. C'est avec lui que j'ai connu Youssef Chahine. Tous ensemble nous avons fait *Adieu Bonaparte,* que nous avons tourné en Égypte. Nous formions une « bande d'amis passionnés », où régnaient la franchise et l'honnêteté.

Bien sûr, il est plus facile de parler des amis que des amours. Mais tout de même, quelques mots, pudiques j'espère, à propos de Juliette Gréco. Je l'ai rencontrée dans une soirée. Je me suis assis à côté d'elle. Nous ne nous connaissions absolument pas. « Surtout, il faut bien se tenir », ai-je pensé. Nous nous sommes parlé en tête à tête, et peu à peu je me disais : « Que se passe-t-il ? Étonnant ! Merveilleux ! » Nous nous sommes découverts l'un l'autre. Tout s'est d'abord déroulé avec une sagesse exemplaire et c'est ce qui m'a permis de la découvrir, de me laisser découvrir. Je trouve très intéressant, dans la rencontre entre un homme et une femme, qu'il y ait une grande énergie, mais avec du respect, de l'élégance. Il y a le plaisir de parler et d'écouter, le plaisir d'apprendre à connaître en faisant comprendre que l'on est séduit. On se montre tel qu'on aime être. On voit l'autre telle qu'elle aime être. On ne joue pas à s'intéresser : on s'intéresse vraiment. C'est ce qui s'est passé avec Juliette Gréco.

Nous nous sommes attendus. Nous nous sommes revus. J'ai dû patienter avant de pouvoir être en toute intimité avec elle. J'avais une vie. Elle me disait qu'elle aussi avait une vie. Et puis nous avons fini par vivre ensemble. Chez elle. Un jour, elle m'a dit que c'était fini. Elle avait en tête un homme qui est apparu pour travailler avec elle et qui a donc débarqué dans nos vies. C'était un pianiste. Ils étaient très amis, honnêtement, puis, petit à petit, le lien a changé entre eux. Je n'ai pas fait le puissant, je me suis éloigné. Et puis un jour, elle m'a dit « Va-t'en ». Presque de cette façon. Ç'a été douloureux, de mon côté en tout cas.

Quand nous vivions ensemble, je la suivais quelquefois dans ses tournées. J'aimais ça. Nous avions une vie très agréable. Et puis voilà, la fin est arrivée. C'est étonnant la façon dont les humeurs et les passions se conduisent ou se célèbrent entre nous, les hommes et les femmes. C'est mystérieux et c'est sérieux. Est-ce qu'il y en a toujours un qui aime plus que l'autre ? Celui qui découvre une autre possibilité de vie, qui peut se laisser séduire par une séduction. Mais je crois que j'ai suffisamment répondu à votre question impudique.

IV.

L'Acteur

Cher Michel,

En lisant certains passages de vos lettres, mais aussi en repensant à certaines de nos discussions, je trouve que c'est vraiment un trait constant de votre caractère que cette peur de paraître « prétentieux »...

Je me demande comment vous définiriez ce qu'est un « grand acteur ». Qu'est-ce qui fait d'un acteur un authentique artiste qui a ce « je-ne-sais-quoi » en plus qui le distingue absolument ?

Au théâtre, au début de votre carrière, votre emploi était celui de jeune premier. Mais cela n'a pas duré. Comment avez-vous progressivement trouvé les rôles pour lesquels vous aviez le sentiment d'être fait ? Est-ce qu'au cinéma vous ne vous êtes pas davantage impliqué dans la création de vos personnages ? Par exemple, vous vous êtes beaucoup déguisé dans les films. Vous avez soigné votre apparence, qui pouvait être quelquefois excentrique, et même bizarre. C'était toujours vous qui arriviez avec les vêtements, les accessoires que vous aviez dénichés… À ce propos, il y a souvent une part de loufoquerie, voire de burlesque, dans certaines de vos compositions, dont on ne parle pas forcément mais qui me paraît évidente.

Vous avez fait mention d'un même métier qui s'est dirigé dans deux directions, au cinéma et au théâtre. Est-ce que vous n'oubliez pas que vous avez aussi fait d'autres fonctions : vous avez un temps été producteur et puis vous avez réalisé quelques films ! Comment cela s'est-il passé ?

Une question que je me pose depuis votre première réponse : vous avez plusieurs fois évoqué votre caractère solitaire. Était-ce un fardeau ? Je pense à certains de vos films, comme par exemple Themroc *dans lequel votre personnage se mure littéralement dans son appartement ou comme* Le Chalet sous la neige, *où vous jouez un skieur égaré qui médite sur la vie et sur lui-même – et je me demande si, au fond, vous aimez la solitude ou non.*

Politiquement en tout cas, vous ne vous êtes pas replié sur vous-même. Peut-on dire que vous êtes un acteur engagé ?

Ai-je tort de penser que vous aimez surplomber ? Vous avez appris à piloter un avion, à monter à cheval, et même sur la scène d'un théâtre par rapport à l'orchestre, vous surplombez. Je ne vois pas là du tout une volonté de domination, plutôt un regard sur le monde, comme si cette lévitation vous donnait des ailes.

Une dernière question, sur l'argent cette fois : parmi tous les métiers que vous avez interprétés au cinéma, il y a assez souvent des rôles d'affairistes, de curieux personnages, de gens louches. Or, dans la vie, l'argent n'est pas une chose qui vous importe, vous le méprisez un peu. Par exemple, vous n'avez pas souvent eu recours à un imprésario alors que son rôle est de protéger les artistes vis-à-vis des soucis matériels et des producteurs. Est-ce que vous vous en fichez ? Gagner de l'argent ne vous a jamais intéressé ?

Ah oui, j'oubliais : Pourquoi avez-vous dit que vous n'aimiez pas beaucoup Yves Montand ?

Cher Gilles,

Je vais essayer de répondre à votre rafale déchaînée de questions…

D'abord, l'argent. Je n'ai pas méprisé l'argent, mais je dirais qu'il m'encombrait, qu'il me faisait peur. C'est en ce sens que je crois en effet que gagner de l'argent ne m'a jamais intéressé, et je pense d'ailleurs que c'est un défaut. Ou plutôt, je vois de l'orgueil à penser de cette manière. Il y a un peu de prétention dans l'attitude qui vous fait dire des choses comme « l'argent ne m'intéresse pas, je suis au-dessus de tout ça ». J'étais tellement passionné par les travaux que j'aidais à accoucher que l'argent n'a jamais été une priorité pour moi. C'est un défaut, mais c'est une chance. Certains acteurs se condamnent à travailler pour gagner leur argent avec des œuvres quelconques, voire médiocres. L'important aura été que, même si ça n'a pas toujours été simple, je n'ai jamais manqué de rien.

Tiens, un épisode qui me revient subitement en mémoire. Je croise un jour un acteur avec qui j'avais tourné. Il avait eu beaucoup de succès mais il était alors en panne. Il me voit, me demande comment je vais, et puis, avant même que je lui réponde, il me dit qu'il a besoin d'argent. C'était triste et en même temps charmant. Sa sincérité et la simplicité de sa demande étaient touchantes. Il avait gagné beaucoup d'argent et il s'était arrêté de travailler pour, comme on dit, *profiter de la vie*. Avoir fait un choix de carrière et d'existence comme le sien, qui rend possible que l'on puisse s'arrêter comme il l'avait fait, sans raison particulière, signifie avant tout à mes yeux qu'il s'était vite ennuyé en travaillant, en pensant que la vraie vie était ailleurs. La tristesse est là, quand l'ennui arrive dans le travail. Moi, j'ai toujours eu la chance d'être heureux de travailler. Le travail, c'était la vie même. Et pendant toutes ces années, j'ai presque tout le temps joué. Je mesure la chance que j'ai eue. Ce n'est que récemment que le chômage a commencé…

Ce que vous avez écrit n'est pas tout à fait exact : j'ai eu des agents, au début, qui m'ont pris en charge et m'ont aidé à travailler. Je les voyais beaucoup. Certains étaient admirables. J'aimais beaucoup Gérard Lebovici notamment. Je l'ai connu très tôt, juste après qu'il a pris lui aussi des cours de théâtre. À l'origine, il voulait devenir acteur, et puis il a créé Artmédia. Nous étions amis, même si, quand il est devenu très célèbre, je l'ai moins vu. Il était, dans son travail, magnifique d'intelligence et de passion.

J'ai donc eu des agents un temps, avant d'abandonner cette voie : j'avais envie de me libérer. Je préférais discuter directement des conditions financières. Sans doute n'étais-je pas toujours généreux vis-à-vis de moi-même, quoique j'aie parfois su bien gagner ce qu'il fallait. Tout dépendait du réalisateur et de la production. On ne demande pas la même chose à Manuel de Oliveira qu'au producteur d'un film commercial qui rassemble de l'argent facilement. Il y a des films qui sont fragiles et dont, afin d'aider à leur mise en œuvre, il ne faut pas attendre grand-chose. Ce qui compte avant tout, c'est que se fasse le film auquel on tient. Ne croyez pas d'ailleurs que c'est par dédain envers l'argent que j'ai agi ainsi, non, c'est plutôt par orgueil, comme je l'ai déjà évoqué.

Il est évident que peu de producteurs sont vraiment nets et précis dès lors que l'on aborde avec eux les questions d'argent qui vous concernent. C'est la raison d'être des agents. Ils sont là pour veiller aux intérêts des acteurs, bien sûr. Mais le revers de la médaille, c'est que l'on a souvent l'impression désagréable que leur préoccupation première consiste à bâtir des *plans de carrière* pour leurs acteurs. Il n'y a pourtant que vous pour savoir vraiment ce qui vous motive. Si j'ai choisi de me passer d'agent, c'est pour ne plus me retrouver avec quelqu'un qui travaille davantage en fonction de ses intérêts, ce qui arrive quelquefois, ou surtout en fonction de ce qu'il pense être bon pour vous, ce qui arrive presque toujours. J'avais envie d'être seul à penser à mes choix. C'était sans doute présomptueux de ma part, mais qui d'autre que moi pouvait fondamentalement savoir ce que je pouvais et ce que je voulais faire ? Les suggestions de ces *organisateurs de travail* professionnels que sont les agents ne me semblaient pas forcément claires ni honnêtes. J'ai donc décidé que j'allais tout superviser moi-même. Je voulais avant tout être actif et, sans intermédiaire, me retrouver en contact direct avec ceux qui *font* : les réalisateurs et les producteurs, ceux qui me suivent et me demandent de travailler pour eux. J'avais besoin que nous soyons en intimité entre nous, les vrais travailleurs, les acteurs et ceux qui nous désirent. Ma priorité numéro un consistait non pas à veiller à mon portefeuille, mais à ce que les projets auxquels je tenais vraiment se concrétisent.

Je me considère comme un acteur engagé sur le plan artistique, sur le plan de la recherche, de la découverte, de la création quand elle est produite avec des personnages exceptionnels. Politiquement ? Oui et non. Je ne saurais dire. Je ne suis pas un militant très actif et je le regrette parfois. Pourquoi ne me suis-je pas engagé plus profondément, plus courageusement ? Je n'avais pas le temps. Je ne me suis préoccupé que de mon métier qui m'absorbait totalement. J'ai quelquefois croisé des hommes politiques mais je ne les ai pas vraiment fréquentés. J'ai rencontré Mitterrand. Il m'a frappé par sa satisfaction d'être ce qu'il était. Pas seulement comme homme politique, mais dans sa propre vie. Il se dégageait de lui une séduction, qui fonctionnait auprès des hommes et des femmes. Je suis davantage sensible à la personnalité de quelqu'un comme Jospin, que je vois de temps en temps parce que sa maison de vacances n'est pas loin de la nôtre. C'est un homme politique profondément sincère, profondément clair et honnête, courageux d'être parti comme il l'a fait.

Rien ne m'a vraiment encouragé à passer véritablement à l'acte dans le domaine politique. Peut-être ai-je été lâche, paresseux, ou les deux. Bien sûr, j'ai signé des pétitions, des manifestes. Ce n'était pas grandiose, mais c'était mieux que rien. Je n'ai jamais voulu m'inscrire à un parti politique, comme certains de mes amis qui sont passés par le Parti communiste. Mais j'ai toujours été sensible à la maladie des malhonnêtes, à leurs comportements dégoûtants, qui n'avaient rien à voir avec le fait qu'ils soient riches ou pauvres. Il y a des riches magnifiques et qu'on ne peut qu'admirer, et il y a des pauvres épouvantables.

Je me suis longtemps décrit comme un pseudo-militant. En tout cas, heureusement que je ne suis pas devenu quelqu'un comme Yves Montand. Il était très théâtral dans sa manière de faire de la politique. Tout le contraire de Simone Signoret, qui restait à mes yeux d'une grande honnêteté et qui s'engageait sans cabotiner et sans exploiter son image. Elle était très sincère. Lui était très content de se mettre en scène. C'est très différent.

Yves Montand, je ne l'aimais pas beaucoup parce que je le trouvais arriviste. Il courait sans arrêt vers la réussite. C'était assez enfantin de sa part. Il y a des acteurs qui vivent mal avec leur réussite et Montand en faisait partie. Il en a eu la tête tournée. Montand me donnait le sentiment d'être avant tout mû par la nécessité angoissée d'être célèbre, et non pas le plaisir du métier. C'était un malin, un roublard. Il lui manquait le grain d'assurance qui lui aurait permis de jouer des choses toujours différentes. Lui, il jouait toujours la même chose : il se faisait *lui*. Cela dit, je n'ai pas du tout envie d'être méchant vis-à-vis de Montand. Il était encombré du sentiment qu'il avait de sa propre grandeur. Cela devait être lourd à porter. J'ai été très ami avec Simone Signoret, une femme formidable. Elle n'était pas sûre d'elle, ni de son travail, ni des autres. Elle n'avait pas l'autorité qu'il fallait vis-à-vis de lui. Elle était toujours très amoureuse de son homme et elle le répétait un peu trop. Je pense qu'un homme et une femme qui s'aiment doivent avoir la modestie de taire leur passion d'amour et de ne pas la mettre en scène.

Au début de ma carrière, je ne jouais pas seulement les « jeunes premiers ». En fait, « jeune premier » – comme n'importe quel emploi au théâtre, d'ailleurs – cela ne veut pas dire grand-chose. Beaucoup d'acteurs ont la chance d'avoir une personnalité physique et intellectuelle qui les rend idéaux pour un type de rôle, mais il ne faut pas que ce soit ce qui importe. On peut être un excellent jeune premier, certes, mais ce qui compte, c'est d'être un bon acteur tout court et de pouvoir traverser toutes sortes de répertoires et d'univers. Le danger, quand au théâtre on cultive un emploi, c'est l'immobilisme. Le bon acteur est celui qui refuse de répéter toujours la même chose. Il est curieux par définition. Quel rôle choisir et découvrir ? Lequel lui permettra de faire connaître au public et de le faire s'émerveiller devant une pièce de théâtre qui mérite la notoriété ? Quels sont les metteurs en scène de théâtre ou les réalisateurs de cinéma grâce à qui l'on peut s'élargir ? Voilà les bonnes questions qu'il faut se poser. Un bon acteur doit chercher à être toujours différent. C'est une démarche bien plus intelligente que de vouloir toujours travailler le même type de personnage ou de rôle.

Souvent, pour un film, je composais en effet, comme vous le rappeliez, l'apparence physique de mon personnage. J'aimais ça. Je voulais toujours travailler cet aspect du rôle avec ceux qui en avaient la charge. Je me souviens par exemple que pour *Le trio infernal*, de Francis Girod, nous avions décidé ensemble, avec le maquilleur et le costumier, de l'extravagance de mon apparence, et cela sans demander son avis au réalisateur. Nous avons préparé notre coup comme on prépare une surprise ou une blague. Allait-il vouloir me démaquiller, reconstruire entièrement mon apparence pour le personnage ? C'est très important, l'apparence. Il me semble que les acteurs qui négligent cette dimension jouent toujours de la même façon, de manière automatique. J'ai donc été obsédé par l'idée de trouver la meilleure apparence possible, pour servir le personnage, mais aussi pour plaire au metteur en scène. D'une manière générale, j'ai été un acteur très à l'écoute, attentif au désir du metteur en scène, respectant son autorité, me demandant quels pouvaient être ses souhaits et ses craintes, m'interrogeant sur ses réactions possibles. J'aime beaucoup la satisfaction que l'on retire quand on a le sentiment de l'aider autant que l'on peut. N'empêche, je considérais que le premier geste concernant l'apparence me revenait en propre.

Il m'est arrivé que, lors de la première apparition de mon personnage, un réalisateur éclate de rire en le découvrant. J'avais tendance à forcer le trait. Et je suis heureux que vous ayez évoqué ma part de loufoquerie, comme vous dites, ou de burlesque. On m'en parle peu et pourtant j'y tiens beaucoup. Elle est évidente dans un film comme *Themroc*, un film sans paroles assez unique que j'aime beaucoup, un film étrange, puissamment anarchique et en même temps grave et sérieux, très honnête, à la fois moqueur et élégant. Il est étrange et triste qu'un réalisateur aussi singulier que Claude Faraldo demeure si peu connu. Il avait une grande autorité, la passion de faire et beaucoup de culot. J'aimerais beaucoup revoir *Themroc*, j'ai une grande passion pour ce film.

Themroc suggère-t-il mon goût de la solitude ? Je ne crois pas. Dans la vie, je n'apprécie pas la solitude. Quand je fais l'acteur, je ne l'apprécie pas non plus. Dans mon travail, je ne peux pas me la permettre. Même si je dois la jouer. Il y a des acteurs qui jouent leur propre solitude. On le perçoit tout de suite et c'est atroce. Je dirais même que c'est malhonnête.

J'écris que je n'aime pas la solitude et, en même temps, je sais que ce n'est pas totalement vrai. Par exemple, quand on joue au théâtre, après une représentation, il y a toujours un moment d'excitation et la plupart de mes collègues aiment se réunir pour continuer à jouer et repousser le moment où ils se retrouveront seuls. Ils sont contents de rester ensemble dans un bistrot pour manger et boire, par exemple. Moi, je n'ai jamais aimé cela. Quand j'ai joué, je me mets à l'écart, je préfère rentrer chez moi ou à l'hôtel. Je mange seul. Je suis tellement content d'avoir joué que je n'attends plus rien. C'est un comportement qui peut paraître indifférent ou orgueilleux, pas vraiment aimable, mais je ne crois pas que j'aurais pu faire autrement. Sauf les soirs de première, quand il est important de rester dans la joie ou l'inquiétude d'avoir débuté quelque chose que l'on a énormément travaillé.

Faire l'acteur est un métier tellement étrange... Il faut beaucoup travailler et, une fois que l'on a beaucoup travaillé, il faut surtout ne plus travailler. Il faut se mettre à jouer et faire en sorte que cela ne soit plus vécu comme un travail, ne pas donner l'impression de l'effort. Jamais ! C'est aussi une affaire de tact à l'égard de ceux avec qui l'on travaille. J'ai toujours cherché à être dans une intimité profonde avec mes partenaires. La relation peut être sérieuse, ou alors très cocasse et rigolarde, cela dépend de l'humeur, mais une complicité doit être trouvée. Il faut apprendre à se tenir simplement devant votre partenaire. Souvent, on est sur scène sans rien dire, les paroles des autres vous entourent et il faut veiller à ne pas faire enfler votre silence. Savoir écouter est le plus difficile pour un acteur, savoir écouter son partenaire sans le dévorer.

Je ne sais pas trop ce qui transforme un acteur en authentique artiste. Mais il me semble que les grands acteurs ont pour caractéristique de devenir très familiers du public, parce qu'il a appris à les connaître tout au long de leur carrière. Ils donnent au public le sentiment qu'il est toujours en train de les découvrir. Ils parviennent sans cesse à créer une surprise. LA surprise. Comme si personne ne pouvait envisager tout ce dont ils sont capables. Au moment même où on les voit jouer, on ne sait jamais ce qu'ils vont faire. D'ailleurs, peut-être que ce qui fait l'authentique acteur tient au risque qu'il prend de ne pas lui-même savoir comment il va faire…

Mais on peut aussi poser la question autrement. Il y a les acteurs très intelligents qui comprennent tout de ce qu'ils font, qui parlent parfaitement, qui ont le minimum de technique indispensable à leur métier en même temps que la mémoire nécessaire et, pourtant, il leur manque quelque chose. Quoi ? C'est la question. On pourrait en débattre longtemps, mais, selon moi, il leur manque avant tout la capacité de savoir s'amuser. Ce n'est sans doute pas la seule explication, cela ne suffit pas, et vous me direz que j'en reviens toujours à l'explication qui m'a été donnée par le contre-exemple de mes parents, mais je crois vraiment qu'il s'agit d'une dimension très importante. Dans la vie, si on ne veut pas trop s'ennuyer, il faut finir par oser ce que notre timidité naturelle nous commande de retenir. Ce qui fonctionne dans la vie fonctionne aussi quand on joue la vie. Il faut s'amuser à oser. Il y a des acteurs qui sont débordants de jouissance de vivre, mais c'est vrai qu'il y a aussi les autres, les secrets et délicats qui n'exhibent pas ce qu'ils sont avec force. Ce sont deux phénomènes opposés et fascinants.

Il est arrivé que de célèbres acteurs aient des trous d'air, n'y arrivent plus pendant un temps et restent sans travailler, parfois de longues années. Je pense que c'est parce que ces grands acteurs ne sont peut-être pas suffisamment à l'aise pour être joyeux et *coquins* dans leur travail. J'espère que je n'ai pas l'air méprisant en donnant cette explication. Je crois que je la formule ainsi pour essayer de comprendre et d'expliquer comment j'ai vécu ma propre vie d'acteur. Par exemple, j'ai beaucoup aimé jouer des œuvres sérieuses ou intellectuelles, toutes ces choses très dangereuses à faire. Or, même dans ce cadre, il faut savoir s'éloigner d'un certain esprit de sérieux. Dans ce métier, je crois qu'il faut toujours parler simplement, presque bêtement. C'est parfois assez amusant, parce que le partenaire peut parfois en être choqué, penser que l'acteur qui se tient devant lui n'a pas la dignité suffisante pour jouer une œuvre si admirable, si solennelle. Quand on a la chance de jouer de très grands, très beaux, très intelligents et très bizarres récits, ce qui est merveilleux, ce n'est pas tellement de séduire, voire de draguer le public, mais plutôt de l'étonner. « Étonne-moi », demande le public.

Je n'aime pas l'esprit de sérieux et je crains toujours de paraître prétentieux. Plus exactement, je crains *d'être* prétentieux. Je redoute ma propre vanité. Parvenir à étonner les gens par mon travail et *sans prétention*, avec simplicité, aura été mon idéal. À mon sens, tous les hommes qui manifestent une trop haute idée d'eux-mêmes et de leur métier sont infumables, insupportables, mais en cette matière, les artistes sont les pires. La vanité qu'ils sont parfois capables de montrer est grotesque. L'inverse, c'est Mastroianni. Il faut être comme il était. Le modèle absolu. Il était un grand acteur, personne ne peut le nier. Il était très beau, personne ne peut le nier. Et c'était une grande star. Mais il était aussi très simple, très naturel dans sa manière de penser son métier et de le pratiquer. Il l'a dit souvent devant moi : « Être acteur ? Il n'y a pas besoin de se gargariser, il n'y a qu'à faire et puis voilà... » Beaucoup de comédiens en font trop et ne vont nulle part.

Sur scène, ou sur un plateau de cinéma, j'aimais parfois penser et me convaincre que je ne jouais plus du tout la comédie. C'est quelquefois une illusion nécessaire de s'imaginer que même si l'on dit son texte, on a arrêté de jouer. Il faut avoir l'intelligence du texte, mais il ne faut pas que cette intelligence soit étouffée par l'acteur ou, au contraire et, si je puis le dire ainsi, *« grandiosé »*, amplifié par lui. Il faut restituer le texte à sa manière, sans doute, mais sans oublier la manière de l'auteur. C'est très important : on n'est pas là pour se servir. J'aime jouer *avec* l'auteur. J'aime imaginer le moment même où il a écrit son texte, j'aime me souvenir qu'il a forcément déjà dit son propre texte. Est-ce que je l'ai dit, moi, comme lui le souhaitait ? Il faut faire comme si l'auteur était votre premier spectateur. La réaction d'un écrivain qui écoute son acteur est d'ailleurs souvent un événement très émouvant que j'ai quelquefois eu la chance de vivre.

Sans doute mes propos obsessionnels sur la prétention qui m'effraie ont-ils à voir avec ma détestation du *« grand jeu »*, de la grandiloquence. Être un acteur ne signifie pas que l'on doive avoir l'air intelligent, admirable, imposant. Non ! Un authentique grand acteur peut avoir une attitude très modeste face à son travail, dans sa jouissance de faire ce métier extravagant, extraordinaire, et tellement amusant. Il n'a pas à se montrer et à parler en public en laissant penser qu'il pourrait s'enorgueillir d'une quelconque *réussite*. Sa réussite n'a rien à voir avec une médiocre crânerie.

J'aime les acteurs qui restent entiers dans leur secret.

Le désir de réussite est nécessaire, mais il n'est pas suffisant. Et l'authentique réussite réside dans la liberté de jouer que l'on atteint parfois, dans le plaisir que l'on donne au public, au partenaire, mais pas à soi-même. Il faut préserver, calmer son propre plaisir et, surtout, je ne le répéterai jamais assez, ne pas jouer en cabotinant. Ça c'est l'horreur !

La plupart du temps, ceux que l'on appelle les « grands acteurs » sont totalement sans intérêt.

Beaucoup pataugent dans la vulgaire satisfaction de savoir qu'on les regarde et ne jouissent que d'eux-mêmes. Or, il faut être extrêmement jouisseur de faire ce métier mais sans que cette jouissance bouleverse, excite, ou agace le public. Sinon, les spectateurs se demanderont ce qu'il se passe dans ce corps qui s'expose et s'agite devant lui. J'ai entendu des acteurs dire : « Aujourd'hui, j'ai bien joué. » Je trouve cela d'une solennité douteuse, vulgaire. Moi, je n'ai jamais dit une chose pareille. « Bien jouer », qu'est-ce que cela veut dire ?

Je suis sûr d'une chose : quand on est acteur, il faut être en disponibilité totale avec la jouissance que l'on peut apporter à son partenaire. Cela dit, c'est avec le public que j'ai eu le plus de complicité. Celle qui existe avec mon partenaire ou ma partenaire est bien réelle, mais je ne suis heureux de la faire exister que grâce au public. Je suis toujours surpris de voir comment il peut se passionner pour ce qu'il se passe sur scène, ou, au contraire, de voir comment il peut rester insensible ou sceptique.

Me revient à l'esprit une pièce que j'ai jouée il y a très longtemps, et dans laquelle il y avait un long monologue que j'étais heureux de faire. J'aimais la joie que me donnait ce texte, et de pouvoir raconter toute une histoire. Un soir, à la fin du spectacle, un monsieur m'a dit que ça n'avait pas dû être une partie de plaisir. Il l'a dit en me laissant entendre que parler si longtemps devait être une peine. Cette réaction curieuse m'a marqué. Il avait voulu être gentil, comme s'il souffrait pour moi et qu'il voulait me réconforter. Évidemment, il se trompait sur ce que je ressentais.

Jouer me donnait toujours de la joie. Je me suis toujours régalé à faire l'acteur ! *Régalé*, c'est le mot. Je ne veux surtout pas dire que je suis épaté par moi-même et que ma confiance en moi est inaltérable. Cela n'a rien à voir avec une arrogance de cet ordre. Non, j'étais comme un éternel enfant qui est heureux de raconter une histoire. Faire vivre un texte a toujours provoqué en moi un plaisir inouï. C'est peut-être la raison pour laquelle je n'ai jamais vraiment eu le trac, un trac paralysant qui contracte et ne produit plus que du tourment. J'ai toujours été comblé et content de faire mon métier, jamais vraiment inquiet.

Il m'est parfois arrivé de jouer avec des partenaires qui, eux, étaient angoissés. Alors moi aussi j'étais inquiet, leur inquiétude était contagieuse, je la vivais comme étant aussi la mienne. Il existe un lien qui se communique mystérieusement entre votre partenaire et vous. Je ne sais pas s'il faut parler de trac, mais l'on ressent parfois une sorte d'angoisse. Quelque chose qui noue le ventre et la gorge, les gestes et les regards. Il y a les acteurs chez qui l'on perçoit immédiatement la jouissance, et puis il y a les autres, pour qui ce n'est pas une jouissance mais au contraire, de l'angoisse. J'ai joué avec des acteurs qui étaient peu à l'aise, même s'ils étaient talentueux. Et ça ne m'amusait pas. Leur angoisse m'angoissait.

Surtout, je n'apprécie pas quand les acteurs ne se lâchent pas. C'est souvent le cas avec les arrogants. Dans ce cas, je suis dans l'étonnement et l'envie irrépressible de me moquer de cette manière d'être. C'est d'ailleurs dangereux, parce que, quand un acteur est mal à l'aise, même si l'on est un acteur magnifique, la qualité de la performance peut s'évaporer. Dans certaines situations périlleuses, le genre de situation où l'on se retrouve parfois comme en équilibre sur scène, j'ai pour ma part tendance à m'amuser, à faire des farces, à glisser dans mon jeu « normal » des arrêts ou des exagérations. Non pas pour provoquer, déstabiliser mon partenaire, mais parce que je veux introduire une sorte de sourire, comme pour dire : « Rassurez-vous, nous jouons, ne soyons pas sérieux. » J'ai toujours aimé faire rire mes partenaires sur scène. Mais si je pense que mon attitude peut les déconcerter, je ne le fais pas. Je n'aime agir ainsi que si je vois que l'autre comprend et qu'il va s'en amuser aussi.

Je suis devenu producteur, poussé par mon envie de participer à la création cinématographique autrement que comme acteur. C'est pourquoi j'ai décidé, en 1973, de lancer ma société, Les films 66. Je l'ai fait pour répondre à l'insistance pressante de mon ami réalisateur Francis Girod, avec lequel j'ai tourné plusieurs films. Francis était drôle, charmeur, doté d'une mémoire inouïe, particulièrement sur l'Occupation. Nous étions alors toute une petite bande, Girod, Jacques Rouffio, François Chaumette…

À l'époque je gagnais très bien ma vie et, comme je vous l'ai dit, pour moi, l'argent doit servir à quelque chose. Alors j'ai investi ce que j'avais dans la production, une activité qui a duré une dizaine d'années. Nous avons commencé avec *la Grande Bouffe,* de Marco Ferreri, qui a eu un succès de scandale. Il y a eu *Grandeur Nature,* de Berlanga, dans lequel mon personnage tombe amoureux d'une poupée gonflable ; *Touche pas à la femme blanche*, encore de Ferreri, qui m'a fait beaucoup tourner ; *Le trio infernal,* de Francis Girod, à son meilleur avec ce film ; *7 morts sur ordonnance,* avec Depardieu qui grimpait sur les façades de la clinique ; *Des enfants gâtés,* de Tavernier et *L'État sauvage*, de Rouffio, d'après Conchon. Certains films ont marché, plus ou moins, d'autres ont totalement échoué. Il m'est arrivé de perdre beaucoup d'argent, mais toujours pour la bonne cause et toujours en vue de faire, de travailler. J'ai vendu mon appartement pour pouvoir terminer *Le Général de l'armée morte* auquel je tenais tout particulièrement. J'ai tout perdu. Ce fut une période de ma vie affreusement douloureuse, au terme de laquelle j'ai assisté avec tristesse à la vente à la chandelle des droits de mes films. Pour *Le Général de l'armée morte*, auquel j'avais consacré tant d'efforts, TF1 a renchéri, m'empêchant de garder les droits. Ruiné, je n'avais pu m'aligner sur les enchères. *Le Général* est donc parti, comme le reste, et j'ai mis des années à rembourser la plupart de mes dettes.

Les films 66 ont naturellement suivi cette descente aux enfers. Au début, nous avions un grand bureau, trois pièces au 33 de l'avenue des Champs-Élysées, avec du personnel, une secrétaire, un directeur de production à plein temps. À la fin, le bureau s'était replié chez moi, avenue Mac-Mahon, où j'ai vécu jusqu'en 1985. Là, nous faisions tout nous-mêmes, mais c'était déjà trop tard. Quand les choses ont commencé à mal tourner, on ne se faisait déjà plus payer et on a eu le fisc sur le dos. Je ne m'étais pas aperçu que Francis Girod n'avait pas davantage que moi le goût de l'argent, et surtout qu'il dépassait allégrement le budget de ses films. À la fin, ce n'était plus possible, nous n'avions pas eu les succès escomptés et, sans vouloir épiloguer, j'ai été très déçu de m'être fait rouler. Plus tard, je suis devenu mon propre metteur en scène, et ma femme Ludivine est devenue ma coscénariste.

Au cinéma, j'ai été avec le temps toujours plus intéressé par la technique. J'étais à l'écoute du réalisateur, des techniciens, des ouvriers, de tous ceux qui font fonctionner la machine. Dès que le tournage commençait, même si ce n'était pas mon travail immédiat, je considérais que je faisais partie de la technique et j'envisageais ma place et ma tâche en fonction de ce paramètre. C'était devenu une sorte d'habitude, les gens qui devaient travailler avec moi le savaient. J'étais très attentif. Cette question de la technique va de pair avec celle du jeu. J'étudiais ce qui allait, ce que ma scène et ma présence pouvaient provoquer et, avant même de demander au réalisateur ce qu'il attendait, je me faisais une idée de ce qu'il fallait inventer.

Bien sûr, les acteurs posent des questions sur leur personnage au réalisateur, mais il est clair que certains d'entre eux savent déjà tout de ce qu'ils veulent alors que d'autres sont très hésitants. Cette hésitation peut d'ailleurs être dangereuse, produire de l'inquiétude et de la tension sur le plateau, un malaise qui risque de se communiquer au reste de l'équipe. Pour un acteur, c'est quelquefois difficile de faire avec ce paramètre. Pour que l'inquiétude n'enfle pas ou ne soit pas perçue par tout le monde sur le plateau, il faut rester puissant, il faut rester à l'aise.

Avec Ludivine, nous avons fait trois films. Je les ai produits avec Paulo Branco. Il réunissait très peu d'argent, vraiment peu, mais il a permis que les films se fassent. Je ne sais pas pourquoi je n'ai pas continué. J'aurais aimé. Le premier était très bien : *Alors, voilà*. Il y avait un ton. Le deuxième film, *La Plage noire*, adapté d'un livre de François Maspéro, était raté et personne ne s'en souvient. Tant mieux. Il était lourd. J'aime le troisième, *Ce n'est pas tout à fait la vie dont j'avais rêvé*, dont le titre pourrait servir à décrire ma propre existence…

Est-ce que j'ai cherché à surplomber ? Il est vrai que bien avant tous ces soucis de production, je me suis offert des folies. J'ai eu envie d'un avion et j'en ai acheté un. J'ai passé tous mes brevets. C'est comme ça que j'ai rencontré mon plus vieil ami, Raymond Lévy, qui était pilote et directeur artistique des éditions André Sauret, un éditeur de livres d'art, et nous ne nous sommes jamais quittés, jusqu'à sa disparition récente. Nous avons même habité chez lui pendant six mois avant de venir dans le Marais. J'avais un ami à l'époque, un pilote, avec qui j'avais passé un marché : il entretenait l'avion que j'avais payé, et pouvait en échange s'en servir quand bon lui semblait. Il l'a laissé pourrir. Du coup, j'ai revendu l'avion. Encore une déception.

Une autre de mes passions, en dehors du jeu d'acteur, c'était le cheval. J'en avais fait vers dix-sept ou dix-huit ans, le plus sérieusement du monde, dans un club. J'ai même obtenu mon diplôme de soigneur de chevaux. J'avais toujours gardé la nostalgie de ces moments et, beaucoup plus tard, dans les années 1980, dans la propriété de ma femme, je montais un cheval de course. J'ai même eu droit à un coup de tête de cheval dans la mienne. Tendresse un peu brutale ou peur soudaine ? J'ai cru que j'avais la tête dure, plus dure que celle de ma jument, eh bien non... Savoir faire du cheval m'a servi au cinéma. Je monte dans *Leonor,* de Juan Buñuel et dans *Adieu, Bonaparte* de mon ami Youssef Chahine, avec une fausse jambe de bois... C'était une aventure, monter sur les petits chevaux arabes de la région du Caire qui partaient tout à coup au triple galop, alors que je jouais un unijambiste, ce qui n'aide pas à se tenir en selle. Je me souviens, je restais pendant des heures sur le plateau avec ma jambe repliée. J'avais des crampes et des fourmis épouvantables. Pendant ce tournage, je ne restais jamais dans ma loge. Je me suis révélé un nettoyeur d'écurie hors pair. J'aime le balai. Je suis un maniaque du balai. Je frotte, je frotte, jusqu'à inventer une crasse imaginaire. Le geste gratifiant du balai me vide la tête et permet aux idées de venir.

Je ne sais pas si je voulais être surplombant ou en lévitation, mais une chose est sûre : j'aime par-dessus tout ma liberté, et ce qui est singulier, non conformiste. Cela me fatiguerait de faire une chose un jour et la même chose le lendemain. C'est pour être libre de m'en aller quand je veux que je prends toujours ma voiture. Est-ce une posture ? Est-ce que je joue à l'indépendant ? Peut-être. Et puis aujourd'hui, j'ai vieilli et c'est bien différent…

V.

Vieillir

Cher Michel,

Il me semble que la critique vous a toujours été favorable. Cela tient au fait que, comme elle, vous êtes sans cesse à l'affût du renouvellement, de l'étonnement, de la surprise. Sans revenir aujourd'hui sur votre talent unanimement salué, je pense qu'on vous sait gré aussi de cette attitude de chien de chasse tombant en arrêt devant l'Inconnu, pourvu qu'il vous enrichisse. Mais vous, que pensez-vous de la critique ?

Et considérez-vous que votre carrière soit maintenant derrière vous ?

Je comprends bien votre nostalgie, nous pourrions tous les deux nous contenter de remuer nos souvenirs, ou tout simplement de vivre. Mais nous n'avons ni l'un ni l'autre perdu notre goût, notre besoin de créer, de jouer, d'agir, même si à notre âge il faut parfois se faire pardonner d'exister... Quoi qu'il en soit, quels souvenirs de vous voudriez-vous laisser ? Qu'aimeriez-vous que l'on dise de vous plus tard ?

Pensez-vous que le théâtre et le cinéma vous ont aidé à apprendre la vie ou, au contraire, que c'est la vie qui vous a aidé à faire du théâtre et du cinéma ?

Cher Gilles,

Vous dites que la critique m'a toujours été favorable. Je ne sais pas. Si c'est vrai, c'est tout simplement parce que j'ai joué dans beaucoup de bons films. Ma réponse peut vous paraître vaniteuse, mais je crois avoir eu le bonheur, ou la chance, ou l'énergie, de vouloir à tout prix travailler avec des auteurs exceptionnels. Il y a des comédiens qui ont peur de la grandeur de l'œuvre, parce qu'ils ne savent pas comment l'aborder. Ils ne *peuvent* pas. Comme si cela devenait très douloureux pour eux. Ce n'était pas mon cas.

Un ami comédien m'a dit un jour : je suis tellement heureux de gagner de l'argent avec mon métier, tu ne peux pas savoir. Il me parlait de manière honnête, sympathique, mais aussi bête, car il s'est arrêté de jouer. Ce n'était pas étonnant. Il avait des exigences financières. Il n'a pas su intéresser les producteurs et les réalisateurs qui veulent faire des choses magnifiques dans un contexte où l'argent n'est pas primordial. Il n'a pas su les intéresser et il n'a pas été intéressé par eux. Peu de gens sont vraiment passionnés par ces métiers extravagants, sublimes. Moi, je cherchais toujours à découvrir. C'est aussi bête que ça. Je ne peux pas l'exprimer autrement. Le ronron me faisait peur. Je n'avais qu'une idée : découvrir, découvrir et apprendre, ne jamais faire la même chose. Et puis aussi essayer d'illuminer les collègues qui travaillaient avec moi ainsi que mon réalisateur. Je peux comprendre qu'il y ait des acteurs qui n'apprécient pas de travailler sur le projet d'un Marco Ferreri, par exemple, mais moi je suis heureux d'avoir pu être utile à des artistes comme lui ! Si un film à tout petit budget m'intéressait, je n'exigeais rien que l'on ne puisse me donner. Ce n'était pas la question. Il y a des films que l'on choisit avec l'intention qu'ils seront bons et qu'ils pourront passer dans le futur. Mais je n'oublie pas non plus qu'il m'est arrivé de travailler avec des réalisateurs, des producteurs et des acteurs fort peu passionnants. Je n'étais alors pas du tout content de moi. Je me disais : « Mais qu'est-ce que je fais sur ce film ? Je veux gagner de l'argent ? Je me trompe ! Ce n'est pas comme ça qu'il faut que je m'y prenne dans mes choix. » Les mauvais choix que vous faites parfois vous remettent les idées en place.

Sans doute, cher Gilles, comprendrez-vous que je me fiche de savoir que la critique m'a été favorable. Ce n'était pas l'important. L'important était de jouer passionnément dans des œuvres passionnantes. Elles existaient. Tant mieux si en plus elles plaisaient. J'aimais bien rencontrer les journalistes. C'était très intéressant. J'aimais parler du travail que nous avions fait, et puis j'observais les premières réactions. Mais je dois reconnaître que je ne lisais pas tout. Je choisissais. Je faisais mon métier avec enthousiasme et passion, et je n'avais pas envie de lire des critiques qui n'étaient ni passionnées ni enthousiastes ; c'est-à-dire des critiques mécaniques et un peu prétentieuses. Je n'ai jamais apprécié l'espèce de compétition qu'il peut parfois exister entre les critiques et les artistes. Bien sûr, il y a eu de très grands critiques, mais il y en a eu aussi beaucoup d'autres… Je trouve que les critiques sont souvent d'un cabotinage extraordinaire. Et puis beaucoup sont très vulgaires, qu'ils soient enthousiastes ou qu'ils soient en furie. Un critique a le droit de ne pas apprécier, mais certains sont d'une vilenie et d'une méchanceté parfaites. D'autres sont paresseux et vaniteux. La pire des horreurs en la matière ? Les complaisances et les complicités entre certains critiques et certains films. J'exagère sans doute. J'ai pu vérifier qu'il pouvait y avoir des rapports très profonds entre les critiques et les créateurs. Même si c'est une relation qui peut tourner très mal, en ce sens que les artistes ont un tel orgueil d'eux-mêmes qu'ils auraient tendance à mépriser la critique. Ce qui est très grave, et très stupide. Je crains de l'avoir un peu montré…

Le théâtre, le cinéma et la vie, tout va ensemble : la vie vous aide à apprendre à jouer et jouer vous aide à apprendre la vie. Ce sont en fait deux jeux qui s'affrontent, qui se connaissent, qui s'imaginent ensemble, qui aiment fouiller, fouiner. J'ai aimé et j'aime toujours le théâtre et le cinéma, quoique beaucoup moins aujourd'hui, parce que je n'ai plus le droit d'être acteur, figurez-vous. Du moins c'est ce que me signifient les assurances quand elles refusent d'assurer un film ou une pièce dans lesquels je joue.

Comme vous le savez, la mémoire se dégrade. Et je suis victime de cette catastrophe pour un acteur. Apprendre et connaître par cœur son texte est la base du métier. Pourtant, une oreillette permettrait de résoudre ces problèmes : en cas de faiblesse de mémoire, un souffleur vous parle directement. J'en ai parlé à Luc Bondy, ce grand metteur en scène avec qui nous avons encore un projet. Je lui ai expliqué mon impression de perdre la mémoire, je lui ai confié ma panique à ce propos, et lui ai demandé s'il était d'accord pour que l'on utilise cette technique. Nous verrons. Je ne l'ai jamais fait, contrairement à Gérard Depardieu, par exemple, mais j'imagine que c'est relativement facile. En jouant la comédie, au théâtre ou au cinéma, on peut très bien dire le texte sans le connaître parfaitement et faire aussi bien…

J'en profite pour le dire : Quel acteur sublime que Depardieu ! Quel génie ! Quel inventeur ! Il a un don formidable. On est ébloui de voir le plaisir qu'il ressent à jouer. Et il ne cabotine jamais. Il est très manipulateur, sûrement, il est très roublard, très menteur, tout ce qu'on veut, mais il n'a pas de prétention. Nous n'avons pas beaucoup joué ensemble, juste dans quelques films, à ses débuts, dont *Sept morts sur ordonnance* ou *Vincent, François, Paul et les autres*. Il n'avait pas un rond, il buvait comme un fou. D'ailleurs, il est fou. C'est sans doute sa force. Quand il était tout jeune, nous étions très copains, et puis on ne s'est plus vus. On avait changé de vies. Je ne l'ai pas recroisé avant de voir la pièce qu'il a joué récemment avec Anouk Aimé, *Lettre d'amour*. Il y est génial. On s'est embrassés comme des furieux. Il a pris mon numéro de téléphone, mais je sais qu'il ne m'appellera jamais. Je le connais, il a autre chose à faire.

Je vous confiais ma crainte de ne pas toujours bien me souvenir de mon texte. Mais je crois aussi que je suis soulagé en un sens. Non, pas soulagé. Ce n'est pas le bon mot. Disons que je comprends la situation. Je ne peux plus jouer facilement, sereinement, sans me demander comment je vais m'y prendre pour dire toutes mes phrases. Il faut l'accepter. Est donc venu le temps où dominent les souvenirs…

Les souvenirs, voilà un sujet délicat. Quel souvenir aimerais-je laisser ? Qu'est-ce que j'aimerais que l'on dise de moi ? Il faudrait que j'y pense sérieusement. Je ne me suis jamais rien demandé de tel. Je n'ai certainement jamais imaginé ce que l'on pourrait écrire sur moi dans les manuels d'histoire du théâtre ou du cinéma français. « Michel Piccoli a aimé son métier » ou « Il l'a servi de son mieux ». Ce serait pas mal et je crois que c'est vrai. Je suis encore en vie et pourtant c'est fini. Je suis déjà dans cette situation où l'on écrit sur moi au passé.

Votre question sur mon hypothétique postérité m'impressionne. Je la trouve, si j'ose dire ce mot qui n'est sans doute pas approprié ici, *mourante*. C'est une façon de me faire parler de moi-même en situation de fin d'existence.

Parfois, je me sens très bien et je suis indigné de ne plus jouer parce que les médecins et les assurances rendent la décision de me choisir compliquée. Parfois aussi, il n'y a plus que la fatigue, et j'ai le sentiment de n'être plus que la perte, le manque de l'énergie que j'ai eue. J'ai été disponible, accepté, et puis est venu le moment où on a commencé à dire que je n'avais plus l'âge qu'il fallait, que je devais comprendre que mon métier devait se terminer. J'en suis là. Non pas dans la mélancolie, mais dans quelque chose de plus fort que la mélancolie. On voudrait que ça ne s'arrête jamais et cela va s'arrêter. Il n'y a rien à dire de plus. C'est fini. Quoi inventer ? Quoi offrir ? C'est terminé. Il n'y a plus rien à faire. Je crois bien que j'ai parlé trop vite de mon soulagement, de ma résignation.

Un homme a travaillé toute sa vie devant la même machine-outil, et on lui dit : « Maintenant, allez, ça va, au suivant ! » C'est très difficile. Et je ne sais pas comment l'écrire, comment l'expliquer. Et puis je pense aux autres vies. Celle de mes enfants, par exemple. Comment les aider ? Je ne sais pas, et cela me pèse énormément. Les enfants, on peut foutrement s'en inquiéter…

J'ai été fou de joie de vivre. Fou de joie de travailler. Fou de joie de ne pas avoir été ignoré. Mais cette vie commence à me déserter. Alors que faire ? Et une fois que je me dis que c'est fini, je n'arrive plus à penser que c'était merveilleux, que j'ai eu de la chance et de la joie. Tout cela était vrai, mais cela n'existe plus. Je ne peux plus continuer. Mon élément naturel, c'était le désordre des choses. Il n'y a plus de choses. On peut se souvenir de la joie d'avoir fait toutes les choses que l'on a faites, et puis l'on pense à toutes celles qu'on imagine pouvoir encore faire, avec des amis, avec des dames, dans le travail. Mais je suis comme un stylo qui n'a plus d'encre, et je me mets à râler comme un fou : « Où est mon encre ? » Je vois que cela s'éteint. Je ne sais pas être dans le vide. Sur un tournage, on attend des heures. Je ne savais pas être dans le vide et l'ennui à ce moment-là. Je continuais à travailler sur les scènes des autres ou sur mes scènes futures. Je n'ai jamais été en attente, toujours en éveil, en questions, en crainte.

Un jour que je me lamentais comme maintenant, me demandant pourquoi je n'avais pas donné de cours de théâtre, vous m'avez suggéré de m'y mettre. J'y avais quelquefois pensé en me disant combien j'avais tort de ne pas me mettre au service de ce travail. Aujourd'hui, j'ai l'impression qu'il est trop tard. Je crois que je commence à ne plus avoir d'énergie. Même si cela me plairait et m'amuserait de me contenter de lire des textes devant de jeunes acteurs. Ce même jour où vous me disiez que rien n'est jamais fini et que je pouvais aussi écrire un scénario, qu'il suffisait d'une feuille et d'un papier, je vous ai répondu que vous aviez tout à fait raison, dans l'absolu, mais que j'aurais plutôt désormais tendance à être… *disparu*. Je ne sais plus très bien être utile, être passionné. Certains des films dans lesquels j'ai joué vont rester, mais je ne reste plus. J'aimerais ne pas mourir !

VI

Écrire

Chers lecteurs, chers complices,

En imaginant ce livre avec Michel Piccoli, j'ai voulu mieux connaître et faire mieux connaître cet homme extraordinaire et bon. J'ai voulu réveiller l'enfant qui ne dort que d'un œil, j'ai voulu découvrir le comédien naissant qui réparait les fauteuils du petit théâtre où, après la Libération, une troupe se révélait à elle-même. J'ai aimé que Michel évoque sa conception du métier, il ne s'en prive pas, il ne nous en prive pas.

Ce retour sur un itinéraire aussi riche, aussi varié, aussi monumental ne serait pas complet sans citer quelques exemples de notre correspondance plus ancienne, tout au long des trente ou quarante dernières années. On en retrouvera ci-après quelques échantillons. En les relisant, j'éclate de rire et je suis frappé de mon audace. Le respect que j'éprouve aujourd'hui, je l'éprouvais alors, mais, comme je l'ai dit dans l'incipit, nous ne pouvions nous empêcher d'être farceurs. Toujours ce côté grands enfants, où le corps accusera bientôt son âge, quand l'esprit reste gamin jusqu'au bout.

Blagueuse, rieuse, faussement insultante et insultée, il aurait été dommage de ne pas ajouter le poivre et le sel de notre correspondance privée au portrait singulier qu'est ce livre, ni tout à fait complet, ni tout à fait *normal*. J'entends d'ici son cri : « Normal, mais quelle horreur ! » Comment, en effet, être normal du côté de chez Monsieur Piccoli ?

Elle montre, cette correspondance, notre proximité ainsi qu'un aspect peu connu de Michel épistolier, et qui est un humour tendrement caustique, où les vacheries disent l'affection que tait la pudeur. Alors que dans les films les personnages sont moins amicaux : bizarres, insolites, féroces, obscènes oui, mais tendres plus rarement. Au cinéma, il tue avec les mots (et avec des armes, de l'acide sulfurique ou moult instruments plus ou moins contondants), là, il se tue à être affectueux à coups de douces injures et de griefs imaginaires. Qu'on en juge !

Côté insolence, je reconnais que je n'étais pas en reste et, comme on disait à la communale : « M'sieur, c'est lui qu'a commencé… ! »

mon cher ami piccoli comment allez-vous ? moi je suis bien mais à la réflexion j'ai trouvé pas très gentil la réflexion que vous avez faite l'autre jour sur ma moitié qui se trouve être mon tout. Est-ce que vous n'avez pas été dire, en public, chez Josée Bénabent, que ma femme était en hôtel ou en maison? Mais alors de quelle maisosn voulez-vous parler? Assez avec toutes ces grivoiseries et ces privautés, non? L'ennui est que je ne l' avais pas dit à Jeannette et qu'elle vient de le découvrir en lisant par dessus mon épaule comme elle fait toujours et maintenant qu'elle a été officiellement insultée je dois vous provoquer en duel. Naturellement comme je suis l'offensé je choisis l'arme et les témoins. Et l'heure. L'heure c'est tout de suite, comme témoins je choisis Crombecque (Alain) et Toubiana (Serge) et comme arme les dominos. Je tire à moi mes dominos, je les fais doucement claquer sur la table, ils luisent dans la pénombre de mon bureau, et je commence: double-six. A vous.

Vous comprendrez que dans les circonstances présentes je n'adresse mes salutations qu'à votre épouse qui elle est charmante avec nous.

5 Juillet 93

Cher Gilles,

① Êtes-vous sûr d'être son toit.
J'aime semer le doute.
(Je parle de Jeannette bien sûr.)

② S'agissant de votre toit je songeais à une "maison" bourgeoise.
Ce sont quelquefois les pires.

③ Donc : second duel à venir.

④ Notre premier je le souhaite médiatisé.
Nos témoins seront donc : A.S / C+ / P.P.D / A.V / B.B / J.A et D.T du P.

⑤ Ce ne sera qu'autour de la table que je révèlerai mon premier coup.

votre
Michel Piccoli

P.S Vous me devez 2F50.

9 Juillet 2000

Cher Gilles,

Discret.
Nous aimons l'été.
Je pourrais être indiscret.
Je le regretterais
En ce qui vous concerne, juste
un entrefilet.
Trois mots : à l'amitié.
Embrassades à Jeanette.

Michel P.

Cher Monsieur Michel, chère madame Ludivine,

Que Le Roi Lear (de Franz Lehar ?) donne des idées lubriques, je n'y verrai pour ma part aucun inconvénient ; malheureusement l'affaire qui nous occupe ci-dessous (c'est bien le mot) ne date pas d'hier (d'Hyères ?) . Elle est ancienne si j'en juge par l'identité de la principale protagoniste facilement reconnaissable au demeurant (demeurant Beverly Hills, en fait). C'est la raison pour laquelle a été saisi le procureur de la République sur commission rogatoire, autrement dit le Parquet (pas Larquey, parquet). Quelle suite (une suite au Majestic, sûrement) sera donnée à cette entorse à la bienséance, je n'en ai aucune idée, mais le délit est là, constaté, patent, et comme le dit Jouvet dans Drôle de drame : *à force de dire des choses horribles, les choses horribles finissent par arriver.* Le problème : arriver où ? Sans crier gare : gare de Cannes, gare Saint Charles, gare Saint Lazare, et nous voilà à la résurrection : Lazare, lève-toi et marche. Mais résurrection n'est pas absolution. Je remets donc le coupable entre les mains de Madame le Juge Ludivine, et que la justice passe.

M. Gilles

19 Février 2006
Postée simplement
en déambulant
dans le quartier des Lions.

Je ne
vis
d'aussi
claire
ceinture
pour
vous
entraîner –

Après 7 ans de réflexions
et toute votre admiration
et devant votre forme burlesque et
avec toute la gravité et l'envoûtement
aussi enchanteur,
que ce mot renferme.
À vous deux
Michel [illegible]

se crê mim impressioner com o
vosso pequeno texto nulo
pseudo chinês
vocês põe-vos o dedo no olho
e até ao cotovelo
cumprimento-os mesmo assim

si vous croyez m'impressionner avec votre texte nul pseudo-chinois
vous vous mettez le doigt dans l'oeil jusqu'au coude ---

здесь, мой малый кролик,

вы имеете только вы

заслуживаете

値する何にここに、私の小

voilà, mon petit lapin, vous n'avez que ce que

さいウサギ、持っているた

vous méritez

だ

ces traductions ne vous concernent
pas ma chère Ludivine mais seulement l'homme de
votre vie que nous aimons tendrement tout comme
vous

Gil

12 Avril 06

Cher Gilles,

Nous avons reçu une invitation
pour le prochain Festival.
Nous vous en remercions très
vivement.
Cependant il n'y a aucune
précision concernant le cachet
et le nombre de M^2 de la tente.
Nous attendons des précisions de
votre part.
Très respectueusement à vous.
L. et M. Piccoli.

Vers Fin nov –
début de siècle

Cher Michel,

Nous allons très bien quoique nous nous plaignions de ne pas vous voir plus souvent.

Et vous, comment allez-vous tous deux ?

Je vous ai mis au dos une de mes photos qui invite au voyage, ne serait-ce que pour venir nous visiter.

Mes 33 films vont bien : nous nous dirigeons tout doucement vers 15 000 entrées France, les ventes internationales vont rapporter pas mal de Kopeks à répartir entre les metteurs.

Votre nouveau scénario a-t-il reçu le point final ? Est-il tendrement tragique et dramatiquement amusant ?

Avez-vous pensé au point-virgule pour le titre ? Je vous propose : "Aimez-moi les uns les autres ;" Je crois que c'est un titre susceptible d'amener 100 spectateurs supplémentaires –

Ah ! encore un mot : vous avez omis de signer votre missive ce qui peut-être interprété :

a) comme une volonté de brouiller les pistes
b) comme une volonté de nuire
c) comme une volonté de ne pas passer pour ce que vous êtes
d) ——— vous n'êtes pas
e) comme ——— de ne pas passer du tout
f) comme une distraction

.. j'hésite encore si je dois signer la mienne et, finalement j'opte pour une identité d'emprunt difficile à identifier :

Michel Pique-au-lit

A Madame : respect, hommage et affection
A vous affection et respect
(pas d'hommage sans fromage)

15-1-08

Cher Monsieur Jacob,
Gilles.

C'est pour moi toujours un grand honneur de recevoir vos pensées, vos humeurs, vos drôleries (pas toujours drôles) vos farces (parfois douteuses). Mais personne n'est parfait. Pas même vous dont le travail, les inventions et les discours sont souvent très prisés. Recherchés.

Pour votre gouverne (je n'apprécie guère cette expression) au cas où vous souhaiteriez me convoquer soit à dîner soit pour tout autre projet sachez que je pars rejoindre Angelopoulos. Tournage.

Avez-vous changé de Yacht ?
Fidèlement. Michel P.

5/2/2008

Cher Monsieur, cher Monsieur Piccoli,

J'ai l'impression que je vous suis redevable d'un écrit, d'un fragment de ma pensée socratique qui ne tombera pas dans l'oreille d'un sourd. Premièrement, vous me dites que mes "drôleries ne sont pas toujours drôles" : comme si je ne le savais pas ! Mais, venant d'une bonne personne comme vous, ces propos ne sont pas très gentils, ni tellement charitables.

J'arrête là car je viens d'apprendre par une coïncidence extraordinaire que vous venez d'écrire un scénario sensationnel, un "objet littéraire" et cela me procure un immense plaisir car moi je suis humain, moi je suis franc du collier, moi je suis bienveillant – pas comme ces professionnels de la profession avec lesquels vous faites commerce. Donc vous allez faire un beau film, encore un beau film, et je m'en réjouis. Comme quoi on peut être talentueux et féroce humainement. Pas drôle, moi ! C'est la meilleure, celle-là. Est-ce que je ne fais pas de belles photos ? Si ! Alors... À-lors ! Et cette histoire d'aller vous réfugier chez Théo pour y faire quoi je vous le demande ? Photographe de plateau, stagiaire régie, machino ? Ce doit être machino car vous êtes bâti colosse.

Dites à Théo de vous rémunérer les heures sup' en heures normales et les heures normales en prime de risque. Quant aux tickets-restaurant, je les apporterai pour répondre à votre aimable invitation... c'est pour quand ? Affections à la grande Madame. Pour vous, amitiés. GJ

7 février 08

Cher Gilles,

Je suis abasourdi. J'ai reçu votre
lettre. Je l'ai lue. Dire de vous
que vous manquez d'humour !
Etais-je ivre sur une autre planète ?
Aurais-je été payé ?
Pour être si mal élevé ?
Si peu sensible, serais-je ?
A ?
Tout ?
Ce ?
Que ?
Vous ?
avez ?
fait ?
Pour moi ?
Pour nous tous ?

Je vous prie de bien
vouloir pardonner.
Je vous récompenserai.
Jury !
Pardon, juré !
Michel P.

14 Avril 03

Cher Gilles.

Lâcheur. C'est moi.
Faux bond, c'est moi.
Coupable.
Excusable néanmoins.
Excuse : le travail, l'art,
la passion, l'honnêteté
vis à vis d'un contrat signé.

Que ce Festival sans nous
soit malgré tout cela une
réussite.
Votre réussite.

Fidèlement.
Tendrement.

Michel P.

Table

Cet ouvrage a été imprimé
par la Nouvelle Imprimerie Laballery
pour le compte des éditions Grasset
en juin 2020

Mise en pages
PCA 44400 Rezé

Grasset s'engage pour
l'environnement en réduisant
l'empreinte carbone de ses livres.
Celle de cet exemplaire est de :
500 g éq. CO_2
Rendez-vous sur
www.grasset-durable.fr

N° d'édition : 21566 – N° d'impression : 006337
Première édition, dépôt légal : novembre 2015
Nouveau tirage, dépôt légal : juin 2020

Imprimé en France